JEUX DE SOCIÉTÉ

JEUX DE SOCIÉTÉ

Publié par Quantum Books Ltd
6 Blundell Street
LONDRES N7 9BH

Pour l'édition française
Réalisation : LES COURS-Caen/Christian Pessey
avec la collaboration de
Julia Musté, Dominique Busillet et Vanessa Morand (traduction),
Florence Genet, Alain Neuville (PAO),
Anne Laurence, Valérie Schmitt (secrétariat d'édition)

ISBN 2-84584-037-046-2

Achevé d'imprimer
sur les presses de l'imprimerie
Star Standard Industries (Pte) Ltd.
à Singapour
Dépôt légal : 3e trimestre 2001

Sommaire

INTRODUCTION

Il existe dans les jeux une magie particulière que l'on ne retrouve nulle part ailleurs. Leur gamme est très étendue, depuis le jeu de cache-cache, par exemple, qui fait appel à l'imagination la plus spontanée, jusqu'aux objets les plus sophistiqués, en passant par les jeux simples qui ne nécessitent que quelques tracés sur le sol ou sur du papier. L'équipement requis est constitué la plupart du temps d'objets inanimés, parfois très ennuyeux à regarder, ce qui n'empêche pas les jeux d'exercer une force d'attraction certaine sur tous les hommes, qu'ils soient jeunes ou vieux. Chacun d'entre nous semble ainsi devoir répondre à la tentation de sauter à cloche-pied sur une simple marelle dessinée hâtivement à la craie sur un trottoir.

Tous les jeux font appel à l'intelligence, et beaucoup d'entre eux demandent de la dextérité. Certains reproduisent l'exaltation des activités sportives, tandis que d'autres font naître la créativité. Quelques-uns peuvent même provoquer la colère ou un fort sentiment de frustration.

Aussi plaisant que soit un jeu, le but principal est de gagner, que l'on joue, contre un ou plusieurs adversaires, ou encore contre soi-même. Même la réalisation d'un puzzle est un défi. Le plus souvent, le vrai défi réside en votre aptitude à garder votre calme quand quelqu'un vient placer la pièce que vous étiez en train de chercher.

On sait, grâce à des récits, des peintures et des objets, que les civilisations antiques du bassin méditerranéen, du Moyen-Orient ou d'Asie avaient déjà des jeux en tout point semblables à ceux d'aujourd'hui. D'ailleurs, dans de nombreuses régions, on peut encore voir les gens jouer à des jeux de plateau aux heures de détentes ou en parlant affaires.

Les puzzles mis à part, il n'existe que quelques types basiques de jeux, même si au cours des deux siècles passés, on y a introduit des centaines de variations. On classe ces jeux en trois catégories : les jeux de stratégie, les jeux de cartes et les jeux de course. La plupart furent d'abord destinés aux adultes pour être ensuite adaptés aux enfants.

Les jeux se sont aussi intégrés à la culture de nations entières, reflétant les changements d'idées et d'idéaux, surtout pendant les périodes de grands bouleversements.

Au cours des XVIIIe et XIXe siècles, la classe moyenne constituée de commerçants, juristes, médecins et industriels ne cessa de s'accroître. Le commerce s'épanouit et on se lança dans l'exploration de contrées inconnues. Les aventuriers prêts à ouvrir de nouvelles routes maritimes et à établir des accords commerciaux en retiraient de substantiels bénéfices. C'était l'ère des Lumières, de l'invention, de l'innovation et de la découverte scientifique.

L'éducation des enfants issus de ces classes moyennes subit elle aussi des changements radicaux. Il ne suffisait plus de savoir compter, lire et écrire, il était essentiel de connaître l'histoire de son pays et des autres régions du monde. On mettait l'accent sur l'honneur et les réussites nationales, en même temps qu'on regardait vers l'extérieur, tout le monde essayant d'assimiler de nouveaux concepts. C'est aussi à la fin du XVIIIe siècle et au tout début du XIXe siècle que furent fondées nombre d'écoles de bienfaisance qui permirent l'éducation des filles comme des garçons, même si le savoir qui leur était dispensé était principalement orienté vers l'apprentissage d'un gagne-pain.

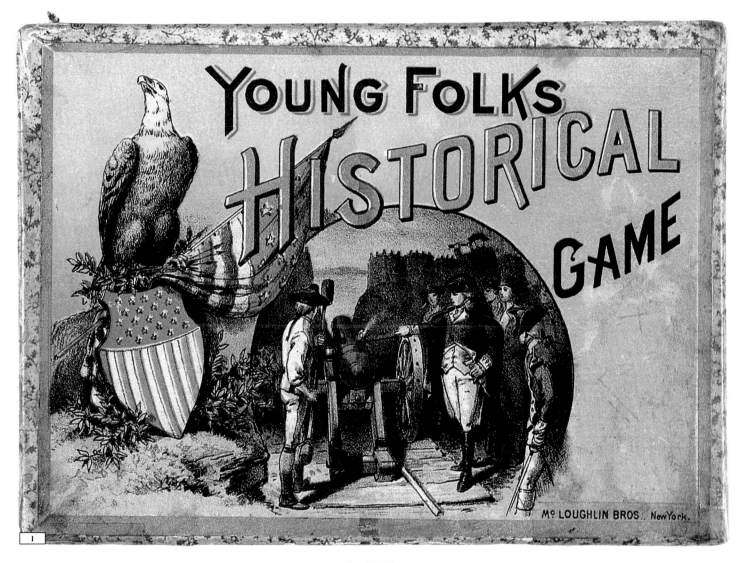

La majorité des jeux de société et de cartes de cette époque étaient destinés à des enfants de moins de 12 ans. Aujourd'hui, les enfants auraient beaucoup de mal à jouer avec ces jeux car le vocabulaire a changé et l'on n'exige plus les mêmes choses d'eux.

Ceux qui produisaient ces jeux étaient déjà des éditeurs de cartes ou de livres, dont la plupart étaient aussi destinés aux enfants. L'idée de produire ce genre de support éducatif était, en un sens, une nouveauté. *Le jeu de l'oie* était populaire, et il ne fallut que quelques petites modifications pour obtenir *Le jeu de la vie humaine* ou, en Grande-Bretagne, *L'histoire d'Angleterre*. Ces jeux furent bien accueillis par les parents qui en appréciaient les aspects éducatifs et voulaient faire plaisir à leurs enfants. Ils aimaient aussi le fait que l'on puisse jouer à ces jeux dans la paix et le calme.

1

Aux États-Unis, à la fin du xixe siècle, nombre de jeux étaient encore commercialisés pour leur contenu éducatif plutôt que pour leur côté ludique ; toutefois, on acceptait l'idée que l'apprentissage puisse être amusant. Suivant de près les traces du jeu de Milton Bradley, Authors *(Auteurs), l'entreprise McLoughlin Brothers créa en 1890 un jeu historique pour les jeunes gens :* Young Folks Historical Game. *Les célébrations du centenaire en 1876 renouvelèrent l'intérêt du pays pour son propre passé et encouragèrent le chauvinisme américain. Les fabricants de jeux et de cartes s'engouffrèrent dans ce créneau, un peu comme l'avaient fait auparavant les fabricants anglais. On pensait alors qu'il était important d'ancrer l'honneur d'un pays dans son passé.*

PIONS ET JETONS

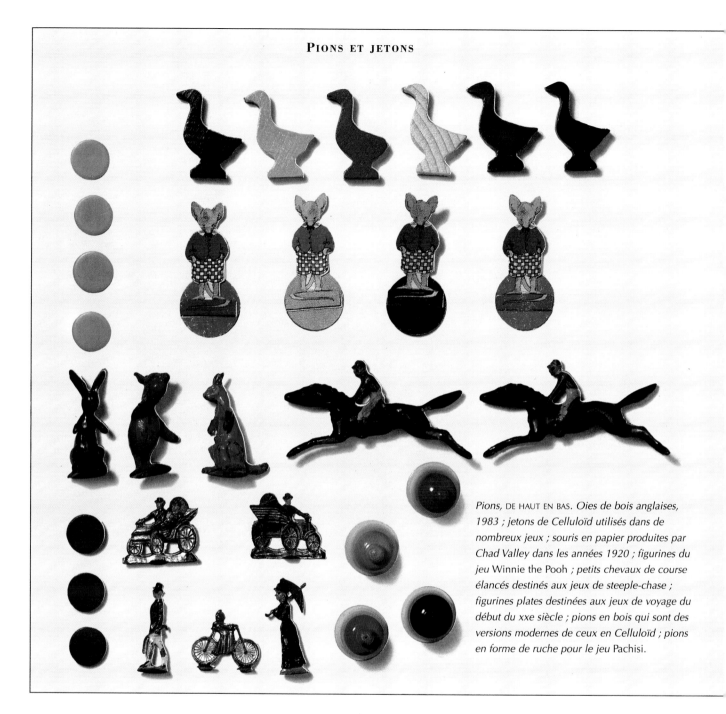

Pions, DE HAUT EN BAS. *Oies de bois anglaises, 1983 ; jetons de Celluloïd utilisés dans de nombreux jeux ; souris en papier produites par Chad Valley dans les années 1920 ; figurines du jeu* Winnie the Pooh *; petits chevaux de course élancés destinés aux jeux de steeple-chase ; figurines plates destinées aux jeux de voyage du début du xxe siècle ; pions en bois qui sont des versions modernes de ceux en Celluloïd ; pions en forme de ruche pour le jeu* Pachisi.

Les premiers jeux mettaient l'accent sur la notion d'apprentissage de façon ludique, mais cette notion fut progressivement abandonnée au profit du pur plaisir de jouer. Toutefois, tous les jeux n'ont pas été si plaisants, malgré les prétentions de leurs titres. Plus récemment, les fabricants sont revenus à l'idée d'apprentissage par le jeu.

La télévision comme les ordinateurs ont eu une grande influence sur le sujet des jeux, comme sur la manière de jouer. Nombre de jeux, très courts, ne sont que des versions d'un même jeu remanié avec des personnages différents. Les jeux d'ordinateur ont toutefois un désavantage majeur : la pluspart du temps, une seule personne joue à la fois, et il y a même, la plupart du temps, aucun contact avec un adulte de l'entourage familiale. Cette pratique solitaire du jeu peut affecter l'apprentissage des conduites sociales pourtant indispensables à tout individu.

Jetons et dés, DE HAUT EN BAS, DANS LE SENS DES AIGUILLES D'UNE MONTRE.

Toupie en os à quatre côtés, chacun marqué d'une lettre, fabriquée en Angleterre au début du xixe siècle. C'est une toupie directionnelle utilisée pour des jeux comme La maison de la satisfaction *ou* Droit chemin et fausse route. *Autre toupie en os à six côtés, chacun marqué d'un chiffre, utilisée pour les jeux de plateau. Dés modernes en bois et gobelet. Dés Chausar en pierre fabriqués en Inde dans les années 1970, utilisés pour la version indienne du* Pachisi. *Ces derniers pouvaient aussi remplacer les coquillages porcelaines (à côté) qui étaient utilisés comme dés en comptant les côtés ouverts, ou comme pions.*

Il est étonnant de constater qu'il ne faut que quelques objets pour jouer à de très nombreux jeux : un élément pour marquer le score et un autre pour avancer sur le plateau du jeu.

JOHN WALLIS, LONDRES

John Wallis, puis ses fils John Junior et Edward, furent sûrement les éditeurs de jeux les plus prolifiques d'Angleterre entre 1775 et 1847. C'est Edward qui reprit l'affaire après la mort de son père en 1818. Pendant toute cette période, ils eurent de nombreuses adresses londoniennes. La plus ancienne, le 16 Ludgate Street, sous l'enseigne Map Warehouse *; à partir de 1805, ce fut le 13 Warwick Square, sous l'enseigne* Instructive Toys Warehouse *; et de 1812 à 1847, ce fut au 42 Skinner Street à Snow Hill. C'est cette dernière adresse qu'utilisa Edward Wallis, travaillant alors seul ou en collaboration avec son père sous l'enseigne* Wallis and Sons *ou* John & Edward Wallis. *La plupart des jeux produits par Edward présentent la marque "Edw." ; parfois on trouve "Ino" pour John. Quant à John Wallis junior, il opéra de manière indépendante au 188 The Strand (de 1806 à 1808) et fut propriétaire de la Marine Library à Sidmouth, dans le Devon, de 1814 à 1822. Les Wallis travaillèrent aussi avec John Harris.*

Peut-être la logique du jeu comme support d'apprentissage est-elle résumée dans les mots de John Harris, dans l'avertissement à son jeu *Passe-temps historique*, publié en 1810 : "L'utilité et l'orientation de ce jeu doivent être évidentes au premier coup d'œil ; car il n'y a rien de plus plaisant à étudier que l'histoire, ni rien de plus formateur pour la jeunesse que ce que lui transmettent, d'une manière agréable et compréhensible, les événements qui se sont déroulés dans son propre pays.

Les petites images, numérotées de 1 à 158, représentent des personnages illustres (rois, hommes d'État, d'Église, généraux, poètes, etc.) ou quelque fait remarquable. Cela excitera naturellement la curiosité des jeunes esprits, et cette curiosité sera satisfaite par un bref compte rendu de la période correspondante. Enfin l'auteur souhaite que l'approbation du public le convainque de l'utilité des heures passées à la mise en forme de ce projet".

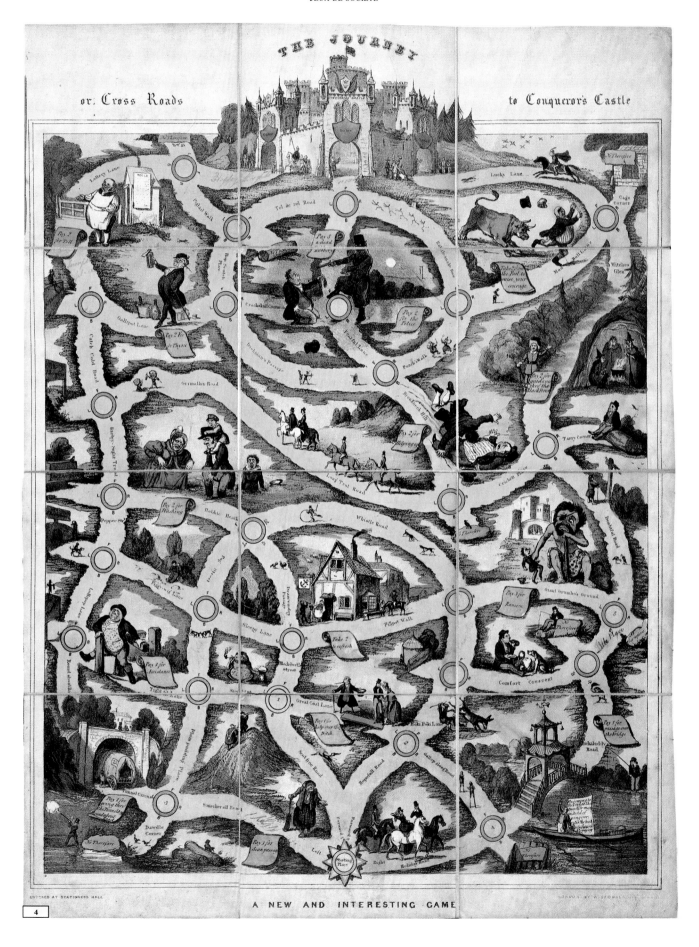

COLLECTION, SOIN ET ATTENTION

Rechercher des jeux et des puzzles est un hobby à la portée de tous. On collectionne ces objets pour de multiples raisons, principalement pour le plaisir de jouer et de faire des puzzles, mais aussi pour l'agrément d'un motif étonnant ou d'une très belle illustration.

Il existe ainsi de nombreux types de collectionneurs : ceux qui choisissent ces objets pour leur intérêt graphique ; ceux qui rassemblent les travaux d'un éditeur particulier ou encore un type de jeu ; enfin, ceux qui apprécient les jeux pour ce qu'ils sont.

Dès qu'un jeu ou un puzzle quitte les chaînes de production, il peut être considéré comme digne d'être collectionné. Cependant, dans les faits, cela arrive rarement. La plupart des jeux et puzzles produits au cours des trente ou quarante dernières années n'ont d'autre valeur que celle que veut bien leur donner le collectionneur. De plus, ces jeux doivent être à l'état neuf pour atteindre un certain prix.

Les jeux les plus anciens sont bien entendu les plus recherchés. Il est impossible de déterminer la valeur monétaire d'un jeu, dans la mesure où sa valeur est soumise aux fluctuations du marché, à l'état du jeu lui-même, et aux singularités des acheteurs. Ce qui est à la mode et cher une année peut l'être encore plus l'année suivante ou tout aussi bien voir sa valeur s'effondrer radicalement. Tout collectionneur doit avoir ses propres motivations. Il

est plutôt conseillé d'acheter les objets en fonction du plaisir qu'ils procurent. Collectionner pour investir peut être profitable dans certains domaines, mais dans le cas des jeux et puzzles, cela risque d'occasionner de grandes déceptions.

Le plus souvent, les meilleures sources d'approvisionnement en jeux modernes sont les ventes de charité ou les foires aux greniers, mais on peut aussi trouver satisfaction auprès de groupes de passionnés qui pratiquent des échanges.

Il est évident que l'on ne trouvera pas de jeux anciens de ces manières ; ce sont des objets de valeur qui peuvent représenter de grosses sommes d'argent. On les trouvera plutôt dans les ventes aux enchères ou chez les antiquaires. Le prix reste le problème principal de ce genre d'achat, et l'amateur doit être en mesure d'estimer si le montant demandé est justifié. La décision peut-être difficile à prendre pour celui qui s'intéresse au jeu en tant que tel. Le collectionneur doit aussi savoir que les jeux n'apparaissent pas dans les ventes de jouets mais plus généralement dans les ventes d'objets imprimés, ce qui a peu de rapport à priori avec sa passion.

L'amateur doit décider quel type de jeu il aimerait collectionner, s'il représente pour lui un jeu ou une œuvre d'art, et combien il peut investir, non seulement pour l'achat mais aussi pour sa conservation.

4

C'est William Spooner qui édita ce jeu, intitulé
The Journey *ou* Cross Roads to Conqueror's Castle
(Le voyage ou Croisées des chemins pour le château
du conquérant) (voir aussi page 56).

Quand vous choisissez un jeu, vérifiez toujours qu'il est complet. Si cela n'est pas le cas, les règles et l'équipement peuvent parfois être remplacés, ainsi que certains détails du jeu qui peuvent être retrouvés à partir de certaines sources, notamment les livres de référence. Il est beaucoup plus difficile de retrouver les brochures originales des jeux. Si les règles du jeu sont souvent évidentes, ces petits manuels contiennent cependant des détails que les joueurs doivent réciter ou à partir desquels ils doivent donner des réponses. À défaut, il est toujours possible d'inventer des questions adéquates, mais on peut aussi essayer de trouver des copies de la brochure en cherchant dans les musées.

Après avoir acheté un jeu ou un puzzle, il faut le maintenir en état. Les jeux anciens, qui étaient imprimés sur du papier chiffon, puis montés sur une pièce de toile (généralement de lin), étaient fournis avec un étui. Les pions et dés étaient quelquefois vendus avec le jeu, mais le plus souvent les familles possédaient déjà tout le matériel nécessaire, qu'elles utilisaient pour plusieurs jeux. Plus tard, on vendit les jeux avec tout le matériel, comme c'est toujours le cas aujourd'hui.

Le papier est un matériau très altérable ; trop de lumière, de chaleur, d'humidité peuvent rapidement le détériorer. La lumière (naturelle comme artificielle) fait passer les couleurs et dessèche le papier. Le papier fabriqué à partir de pulpe de bois présente un fort taux d'acidité, et la lumière provoque parfois des réactions chimiques. La chaleur, qu'elle soit issue de radiateurs, de conduites d'eau chaude ou de feux de bois, peut aussi dessécher le papier. L'humidité fait naître des taches, des moisissures, et peut aussi affecter l'équilibre chimique du papier et accroître son acidité. Les fumées, aussi bien de la cheminée, de la cuisine que des cigarettes, sont aussi potentiellement nuisibles, tout comme les graisses déposées par des mains. Le collectionneur doit ainsi trouver un juste équilibre entre la conservation des objets et le plaisir qu'ils procurent.

PAPIERS ET IMPRESSIONS

Les jeux ont toujours été fabriqués à partir d'une grande variété de matériaux : pierre et marbre, ivoire et os, bois et (pendant plus de deux cents ans) papier. Ce dernier matériau, dont le coût de fabrication est relativement bas, permit la production de masse.

La fabrication du papier fut mise au point en Chine et au Japon puis arriva en Europe au XIIᵉ siècle. Les papiers anciens contenaient beaucoup de fibres textiles qui furent remplacées au XIXᵉ siècle par une mixture à base de pulpe de bois. Ce nouveau produit, bien que moins cher et plus abondant que les fibres textiles, s'est montré moins stable à long terme. On l'utilisa tout de même à l'époque car il acceptait facilement les encres et les couleurs. Quatre techniques majeures d'impression furent utilisées pour les jeux, selon l'endroit et l'époque de production. La plupart des jeux édités entre 1770 et 1820 furent réalisés à partir de planches gravées sur bois ou sur cuivre, aux motifs finement ciselés en relief. Ce procédé exigeait de l'artisan une très grande habileté et un grand sens artistique. Le dessin imprimé était ensuite mis en couleur à la main, mais il arrivait aussi que l'on utilise des pochoirs.

L'eau-forte offrait une autre alternative. On pouvait traiter une plaque de cuivre avec des composants résistant à l'acide, notamment de la cire ou de l'asphalte (mixture à base d'hydrocarbone), sur lesquels on dessinait le motif avant de plonger la plaque dans un bain acide. Ce procédé coûtait moins cher que la gravure en relief car il s'épargnait la taille, délicate opération s'il en est.

La gravure en pointillé, que l'on utilisait souvent parallèlement à d'autres méthodes, traçait le motif avec de petits points et non par une découpe. Elle avait l'avantage de permettre l'apparition d'ombres et la variation des tons. La même technique s'appliquait à des aquatintes qui utilisaient des résines et de l'acide nitrique pour créer des impressions semblables à des dessins à l'encre ou des aquarelles.

On pense que c'est Aloys Senefelder, de Munich, qui introduisit la lithographie à la fin du XVIIIᵉ siècle. Il s'agit d'une impression sur une pierre calcaire, fondée sur le principe que l'huile et l'eau ne se mélangent pas. Cette méthode fut développée pour arriver à la lithographie couleur et à la chromolithographie vers le milieu du XIXᵉ siècle. Cette technique est à la base de l'impression moderne en offset.

Les presses apparurent d'abord sous la forme de machines en bois maniées à la main, puis furent remplacées par des machines en métal. La force humaine fut bientôt relayée par celle de la vapeur. Les imprimeurs furent les premiers à reconnaître les avantages apportés par la vapeur, car elle réduisait considérablement leur charge de travail.

Tous les pays européens éditaient et exportaient des jeux. Jusqu'à la moitié du XIXᵉ siècle, les États-Unis importèrent la plupart de ces jeux par l'intermédiaire des grossistes et des immigrants. Nombre de ces derniers recréèrent aussi des jeux auxquels ils avaient joué durant leur jeunesse. Néanmoins, tout au long de cette période, diverses tendances se développèrent dans chaque pays.

En Angleterre, par exemple, les jeux de plateaux foisonnaient, tandis qu'en Allemagne on produisait plutôt des jeux de papier. Puisque l'Allemagne avait développé la lithographie, qui devint la méthode d'impression la plus commune, ses imprimeurs approvisionnèrent le reste du monde, ayant eu l'excellente idée de créer des jeux en quatre langues, ce qui permettait de les vendre partout sans avoir à apporter de modification au moment de l'impression. Quand la chromolithographie fut lancée, tous les fabricants envoyèrent leurs motifs pour les faire imprimer en Allemagne. Certaines compagnies y établirent leurs propres ateliers, comme Spear & Sons. Cette firme basée près de Londres, avait ses ateliers d'imprimerie près de Nuremberg.

La meilleure solution est d'avoir une pièce réservée aux jeux, dans laquelle la lumière et l'atmosphère sont strictement contrôlées. Dans l'idéal, le jour ne devrait pas y entrer, et chaque lampe devrait être équipée d'écrans contre les rayons ultraviolets. On trouve aujourd'hui des lampes qui ne produisent pas de chaleur, mais il est conseillé de prendre les mesures adéquates pour empêcher toute chaleur d'entrer dans la pièce. On doit y maintenir une température aussi modérée que possible ; il faut aussi vérifier l'hygrométrie, car une trop grande sécheresse ou un excès d'humidité sont tout aussi dommageables, et la pièce doit être la moins poussiéreuse possible, ainsi que les emballages des jeux.

Une atmosphère trop confinée est également néfaste, et il importe que l'air circule car les jeux et les puzzles sont fabriqués à partir de matériaux naturels qui ont besoin de respirer.

La question du port des gants lors de la manipulation des jeux est controversée. L'argument en leur faveur est qu'ils protègent le papier des huiles secrétées par les mains ; pour certains, au contraire, les gants entravent les mains et causent des dommages physiques ; de plus, ils se salissent et transmettent cette saleté au papier. Peut-être la solution réside dans une manipulation minimale des jeux, avec ou sans gants. La règle d'or reste en tout cas de ne jamais utiliser de stylo à proximité d'un jeu.

Si vous décidez d'exposer quelques-uns uns de vos jeux, il existe de nombreux produits destinés à les protéger : des plastiques transparents, des papiers et des cartons sans acidité. Si vous avez des doutes, vous trouverez des conseils dans la plupart des musées et bibliothèques. Ne laissez jamais un objet trop longtemps en exposition ; en remplaçant régulièrement les objets, vous les protégerez et profiterez de votre collection.

Les jeux ont une qualité qui est aussi leur défaut : leur taille. Pliés et rangés, ils ne posent aucun problème, mais pour exposer ou jouer, il faut une grande surface, d'au moins 60 cm². Il faut aussi de l'espace pour le matériel : dés, pions, brochures et cartes. La plupart des jeux sont assez beaux pour pouvoir être encadrés et c'est une manière de les mettre en valeur, mais il faut faire attention à ce que l'encadrement ne les endommage pas.

Il est néanmoins important de rappeler que les jeux furent initialement produits pour faire plaisir et amuser, et qu'ils doivent avant tout conserver cette particularité, même s'ils peuvent aussi être collectionnés pour leurs qualités esthétiques.

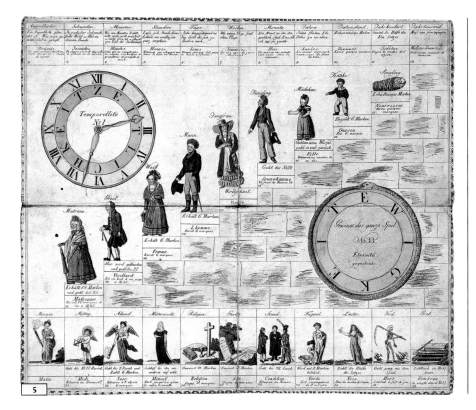

5

Le Grand Terme ou le Jeu des Temps *fut édité en Allemagne vers 1830 (voir aussi page 51).*

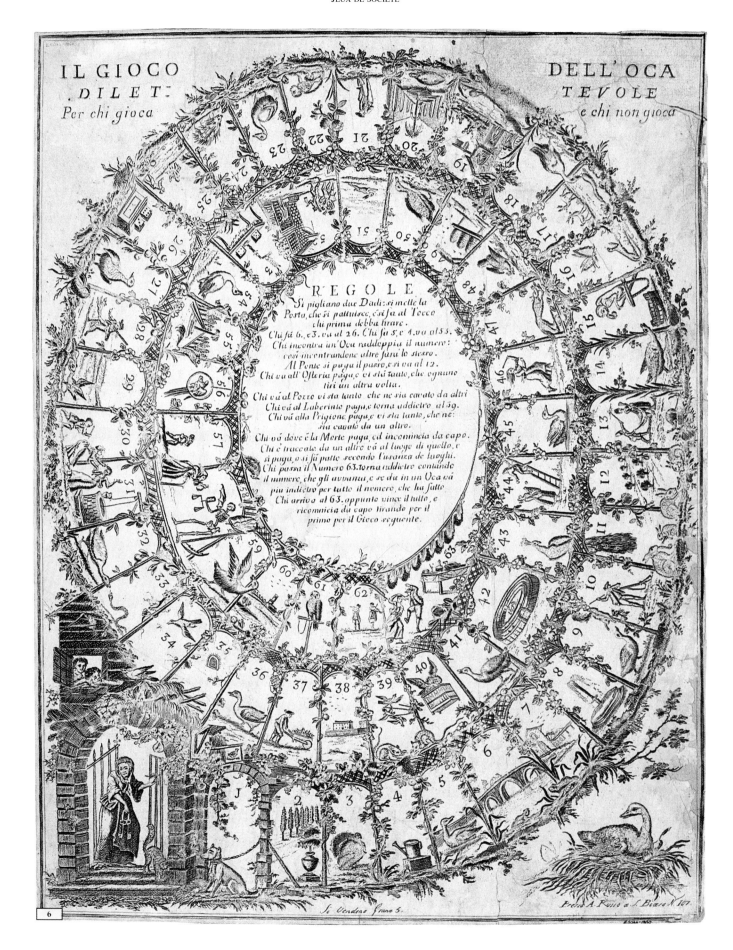

IL GIOCO
DILET:
Per chi gioca

DELL'OCA
TEVOLE
e chi non gioca

REGOLE
Si pigliano due Dadi, si mette la
Posta, che si pattuisce, e si fa al Tocco
chi prima debba tirare.
Chi fà 6, e 3, và al 26. Chi fà 5, e 4 và al 55.
Chi incontra un'Oca raddoppia il numero:
così incontrandone altre farà lo stesso.
Al Ponte si paga il passo, e si và al 12.
Chi và all'Osteria paga, e vi sta tanto, che ognuno
tiri un altra volta.
Chi và al Pozzo vi sta tanto che ne sia cavato da altri
Chi và al Laberinto paga, e torna addietro al 59.
Chi và alla Prigione paga, e vi sta tanto, che ne:
sia cavato da un altro.
Chi và dove è la Morte paga, ed incomincia da capo.
Chi è truccato da un altro và al luogo di quello, e
si paga, o si fà patto secondo l'usanza de luoghi.
Chi passa il Numero 63. torna addietro contando
il numero, che gli avvanza, e se dà in un Oca và
più indietro per tutto il numero, che ha fatto
Chi arriva al 63. appunto vince il tutto, e
ricomincia da capo tirando per il
primo per il Gioco seguente.

Si Vendono Grana 5.

Presso A.Fossi e S.Biaso N.107.

JEUX DE COURSE

Les jeux destinés à deux joueurs ou plus sont souvent des jeux de course dont le but est de gagner, mais dans lesquels intervient le hasard. Les jeux de course sont souvent des jeux d'argent : généralement il y a une cagnotte dans laquelle les joueurs placent des jetons correspondant à leur mise. Tout au long du jeu, des récompenses et des pénalités sont distribuées sous la forme d'un jeton pris ou déposé dans la cagnotte. D'autres formes de récompenses et de pénalités peuvent être mises en place parallèlement à ce système, comme avancer ou reculer, passer un tour, donner des jetons aux autres joueurs. Dans les jeux de course, les pions des joueurs ne sont pas ôtés du plateau, sauf stipulé dans les règles, quand deux pions se posent sur la même case.

Comment ce type de jeux est-il parvenu à véhiculer une telle richesse de préceptes éducatifs, allant jusqu'à inculquer quelques régles morales, et ceci tout en gardant les notions de jeux d'argent et de hasard ? Ils étaient tout simplement très amusants. Les éditeurs avisés pouvaient tirer parti de cette caractéristique pour encourager l'apprentissage.

LE JEU DE L'OIE

On considère généralement le Jeu de l'oie comme le prototype du jeu de course moderne. Créé en Italie et probablement basé sur des jeux pratiqués au Moyen-Orient et en Asie, on dit qu'il fut un présent de Francesco de Médicis de Florence au roi Philippe II d'Espagne entre 1574 et 1587. Le jeu se développa dans toute l'Europe et fut enregistré à Londres en juin 1597 par John Wolfe comme "... le nouveau et plaisant jeu de l'oie".

6

Il Gioco Dell'Oca Dilettevole (*Le plaisant jeu de l'oie*), gravure italienne du milieu du XVIII⁰ siècle, comptait 63 cases figurant un voyage. Les cases sont disposées en spirale dans le sens contraire à celui des aiguilles d'une montre, et les règles sont imprimées au centre. Au bord, en bas, on peut lire les mots "Si Vendono Grana, 5 Presso A Rosso a S. Diaso No. 107", adresse à laquelle on pouvait acheter le jeu.

7

Voici une version du jeu peinte à la main, très similaire à Il Gioco Dell'Oca Dilettevole, *mais avec seulement 61 cases ; elle ressemble aussi beaucoup à une version anglaise plus ancienne du Jeu de l'oie, édité en 1725 pour John Bowles & Son. Le Jeu de l'oie* fut produit en Angleterre entre 1790 et 1810 ; il s'agit alors d'une feuille de papier peinte à la main montée ensuite sur une plaque de bois. Les règles sont elles aussi très similaires, avec des récompenses et des gages ; ainsi, même s'il avait été conçu pour l'amusement, le jeu présentait aussi des références morales. Poser son pion sur une oie permettait au joueur de rejouer et d'avancer, tandis que si le joueur posait son pion sur une taverne, il recevait une double pénalité qui consistait à payer une certaine somme, puis à passer son tour. D'autres pénalités étaient encore plus sévères, la mort et le dépassement du 61 signifiant que le joueur doit retourner à la case départ.

8

Le nouveau et amusant jeu de l'oie d'or, *de Laurie, a des règles similaires, mais le tracé est différent. La surface de jeu est en forme d'oie sur fond de scène pastorale. Il y a 63 cercles numérotés, dont quelques-uns illustrés. Cette gravure mise en couleur à la main, composée de 18 sections individuelles, est montée sur toile de lin ; l'ensemble fut plusieurs fois réédité. Cet exemplaire fut édité par Richard Holmes Laurie le 22 novembre 1831.

ÉDITEURS ET IMPRIMEURS

L'éditeur est la personne qui introduit un objet auprès du public. C'est un représentant qui traite comme un grossiste ou un détaillant, ou la plupart du temps les deux. L'éditeur peut aussi être à l'origine le créateur d'un nouveau jeu.

L'imprimeur est la personne ou la compagnie qui produit physiquement l'objet. Il n'est pas forcément à l'origine le créateur

du jeu, mais il pourrait l'être. Quelquefois aussi, l'imprimeur et l'éditeur ne font qu'un. Il y avait bien entendu des artistes. Malheureusement ces derniers restent souvent inconnus. Ils travaillaient pour les éditeurs mais dans certains cas, l'imprimeur, l'éditeur et l'artiste ne faisaient qu'un. La plupart des jeux anciens portent le nom de leur éditeur et la date de leur publi-

cation. Le nom de l'imprimeur, n'est pas souvent sur le jeu mais il apparaît, en revanche, sur la brochure qui l'accompagne. Les lois sur les droits d'auteurs, établies en 1767 pour permettre l'exclusivité, ne les protégeaient pas forcément, et éditeurs comme imprimeurs durent attendre plus d'un siècle, jusqu'en 1881, pour être réellement protégés.

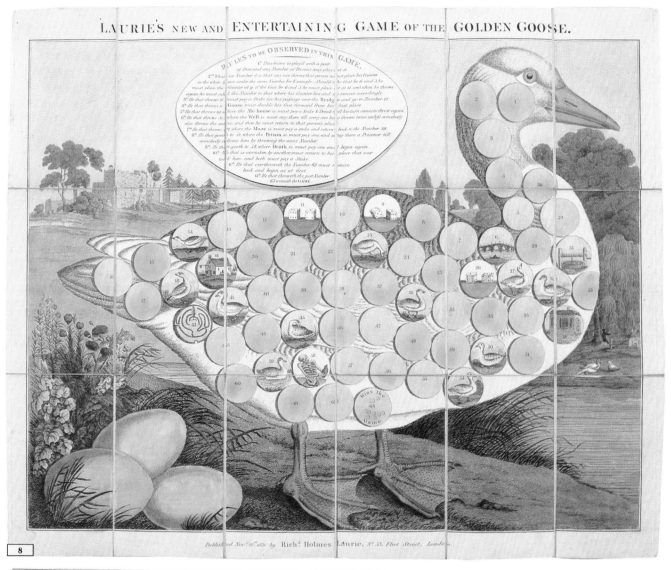

9

The Game of the Goose *(Le Jeu de l'oie)* fut très populaire et de nombreuses sociétés l'éditèrent, souvent même à maintes reprises. J. W. Spear & Sons, de Londres, firme fondée en 1877, conçut un modèle vers 1910 représentant des enfants en train de s'amuser. De nouvelles éditions de tailles variées furent lancées, dont une récemment en 1977. Cette dernière version avait des pions en forme d'oie en bois teinté, alors que les premières versions comprenaient des oies en carton fixées sur des cubes en bois. Les règles du jeu cependant étaient sensiblement identiques, et il y avait 68 cases. L'édition de 1910 est une chromolithographie éditée par J. W. Spear & Sons, et elle fut imprimée dans l'atelier de la compagnie située en Bavière, en Allemagne.

10

Les variations sur le thème de l'oie sont nombreuses, même sans compter les jeux éducatifs. The Royal Pastime of Cupid, (Le jeu de Cupidon) ou le Entertaining Game of the Snake (Jeu amusant du serpent) ont des règles similaires et furent édités par Richard H. Laurie vers 1850. Cette gravure non colorée est peut-être inspirée d'un plateau de jeu de la moitié du XVIIIe siècle, produit pour Robert Sayer, marchand de cartes et d'imprimés ayant pignon sur rue, à qui Robert Laurie et James Whittle succédèrent en 1794, puis Richard H. Laurie en 1813. L'antique jeu égyptien du serpent, un modèle aussi en forme de spirale, peut avoir inspiré de nombreux jeux de société, mais les règles nous en sont toujours inconnues et elles ne furent sûrement pas similaires, même si le but du jeu était toujours de gagner.

La réédition de jeux déjà existants et populaires par différents éditeurs était une pratique courante. Très souvent, les changements ne concernaient que les noms et les dates, mais il arrivait que des cases soient rajoutées, par exemple dans le cas d'un jeu historique de l'époque du roi George III que l'on remit au goût du jour pour y inclure la reine Victoria.

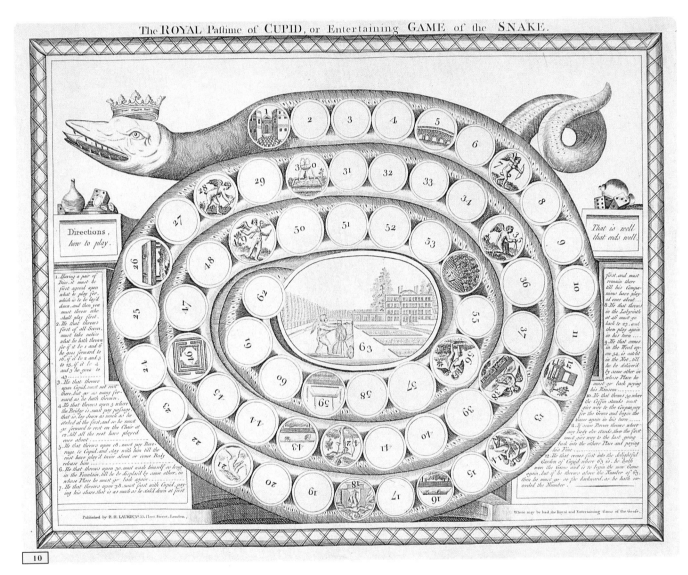

10

LAURIE ET WHITTLE, LONDRES

Robert Laurie et James Whittle étaient des éditeurs londoniens de cartes et autres imprimés très célèbres. Robert Laurie fit ses débuts en 1779 en tant que graveur, et il reprit en collaboration avec James Whittle le commerce de Robert Sayer en 1794, dont le travail fut réédité de nombreuses fois. Richard Holmes Laurie succéda à son père, en 1812, et reprit l'intégralité de l'affaire après la mort de James Whittle en 1818. Leur adresse commune était le 53 Fleet Street. Comme beaucoup d'éditeurs de l'époque, Laurie et Whittle travaillaient souvent en collaboration avec d'autres maisons d'édition pour produire des jeux, et notamment avec William Darton.

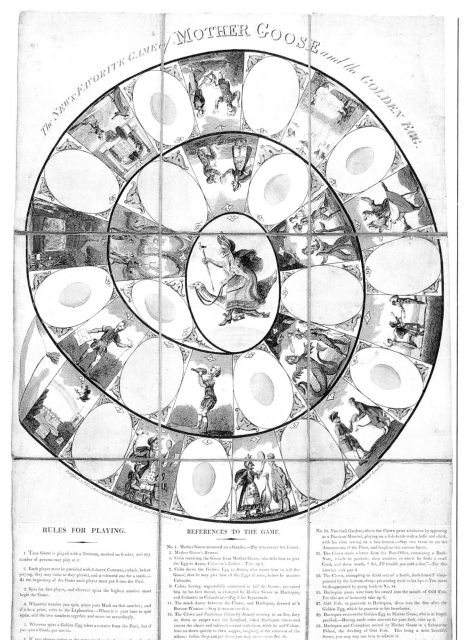

Ce sont des règles similaires, mais avec une histoire différente, qui sont à la base de The New and favorite Game of Mother Goose and the Golden Egg *(Nouveau jeu favori de ma mère l'oie et de l'œuf d'or)*, lequel présente des épisodes et des personnages tirés de la pantomime du même nom, y compris le clown et l'arlequin, et des lieux de Londres, notamment St Dunstan's Church et Vauxhall Gardens. Édité au sommet de la carrière du clown Grimaldi, représenté sur la case 21, la plus grande surface de son plateau est occupée par les règles, et il n'y a plus que 33 cases, dont 17 illustrées, chacune ayant sa propre histoire, avec une récompense ou une pénalité. La moitié des cases restantes présente un œuf d'or ; si l'on tombe dessus, on gagne un jeton ; l'autre moitié, blanche, entraîne un gage d'un jeton. Ce jeu, eau-forte colorée à la main, fut édité par John Wallis le 30 novembre 1808.

JEUX ÉDUCATIFS

Comme la plupart des éditeurs de jeux produisaient déjà des cartes, les premiers modèles eurent souvent des thèmes géographiques, utilisant ainsi des cartes déjà existantes. D'après la brochure qui accompagnait le jeu *Geographical Recreation* ou *a Voyage around the Habitable World* (Distractions géographiques ou Voyage autour du monde) en 1809 :

"Ce jeu, doté de 116 illustrations des plus intéressants objets de la géographie, a pour but de familiariser la jeunesse avec les noms et les situations des lieux, ainsi que les traditions, coutumes et habitudes vestimentaires respectives des différentes nations du monde connu ; et, dans la mesure où la curiosité sera excitée par les scènes représentées, et le sens de l'observation s'en trouvant aiguisé, il est probable que ce jeu, parallèlement à une recherche occasionnelle dans le synopsis joint, sera une source continuelle d'amusement pour les jeunes gens des deux sexes, et fournira des bases géographiques qui seront aussi bien profitables à la lecture qu'à la conversation."

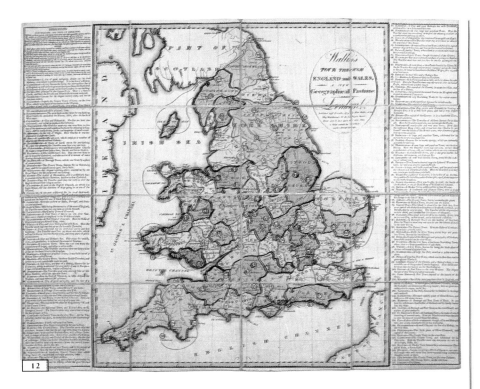

12

ROBERT SAYER, LONDRES

Établi au 53 Fleet Street, Robert Sayer fut l'un des premiers grands éditeurs d'articles pour enfants, éditant des jeux et des puzzles. Ayant débuté en 1745, il vendra son commerce à Laurie et Whittle en 1794. Sayer produisit de nombreux jeux éducatifs, le plus souvent sous la forme de cartes, mais aussi un jeu de l'oie et un jeu du serpent qui furent plus tard repris par Laurie et Whittle.

12

A New Royal Geographical Pastime for England and Wales *(La Nouvelle géographie anglaise et galloise) fut éditée en 1787 avec le sous-titre "Tracer la distance de chaque ville depuis Londres en miles est un jeu très amusant pratiqué avec un toton, des bornes et des jetons". Il s'agit d'une gravure en 16 sections colorées à la main et montées sur toile de lin, éditée par Robert Sayer le 1er juin 1787. On y trouve 169 villes principales et secondaires reliées entre elles par des traits, et de chaque côté on peut lire les règles, avec chaque ville répertoriée et succinctement décrite ; on peut y lire aussi toutes les récompenses ou les pénalités à payer. Les récompenses prennent souvent la forme d'un nouveau tour de jeu, d'une avancée supplémentaire, tandis que les pénalités obligent à passer son tour et à payer une amende. Néanmoins, il ne coûte rien de se déplacer d'un endroit à un autre. L'une des plus belles récompenses se trouve à Stonehenge, "site digne d'être visité, d'où vous pouvez vous rendre à Chester en 148". L'une des pénalités les plus dures se trouve à Knaresborough, en 163, "qui présente quatre sources médicinales aux vertus multiples ; pour y boire, payez un jeton et partez ensuite pour Bath, en 2". Le jeu lui-même est instructif, car il ne se contente pas de nous faire visiter des édifices publics, mais il décrit aussi des événements, le folklore et la géographie locale, comme par exemple la contrebande, ou la Chaussée des Géants.*

13

Royal Geographical Amusement of the
safe and expeditious Traveller Through
all the Parts of Europe by Sea and by Land
(*Divertissement géographique du voyageur
à travers l'Europe par mer et par terre*),
est une gravure colorée à la main,
éditée par Richard Holmes Laurie le
1er décembre 1823. Ce jeu, à l'origine,
allait de paire avec La Nouvelle géographie
anglaise et galloise, *de Robert Sayer, et les
règles portaient d'ailleur toujours le nom de
celui-ci. Le sous-titre de ce jeu en révèle le
véritable objectif : "Un jeu instructif conçu
pour l'édification des jeunes élèves en
géographie par le D*r* Journey."*

13

14

Wallis's Tour Through England and Wales, a
New Geographical Pastime (*À travers l'Angleterre
et le pays de Galles, un nouveau jeu géographique
de Wallis) fut édité par John Wallis le 24 décembre
1794 ; il s'agit d'une gravure colorée à la main
en 16 sections montées sur lin. Comme dans La
Nouvelle géographie anglaise et galloise, les
villes et les descriptions sont mises en parallèle
avec des récompenses et des pénalités, mais le
jeu ne présente que 117 compartiments. Bien
que le principe du jeu soit le même, il y a une
différence majeure : la cagnotte. Au départ,
chaque joueur a un pion, appelé un voyageur,
et quatre jetons qu'il conserve. La plupart des
pénalités impliquent de passer son tour, mais
deux d'entre elles nécessitent un paiement.
C'est l'île de Man qui a la pénalité la plus lourde.
À cet endroit, le bateau du voyageur fait
naufrage et le joueur doit abandonner la partie.
Les descriptions des villes mettent surtout en
exergue les notions de commerce et d'échange.
De nombreuses villes industrielles sont
mentionnées, y compris Worcester pour sa
porcelaine et ses gants, Manchester et Leeds
pour leurs vêtements, et Berwick pour ses
pêcheries de saumon. Ce jeu fut disponible
de nombreuses années ; les règles de cet
exemplaire furent imprimées en 1802.*

14

15

Wallis produisit en parallèle Tour of Europe
(le Tour d'Europe) qui fut lui aussi édité
en 1794, portant la date du 24 novembre.
Il se compose de 16 sections montées sur
toile de lin. et présente 102 villes, dont
certaines étaient les capitales des "royaumes
et États" d'Europe. Tomber sur l'une d'elles
permettait de doubler le trajet précédent.
Chaque description insiste sur ce qui devrait
être vu dans chaque ville, et certaines
rappellent des faits ou des sites militaires tels
que batailles, arsenaux et fortifications. Le
Tour de l'Angleterre et du pays de Galles et
le Tour d'Europe sont tous deux révélateurs
de ce qui était alors considéré comme
commercialement et historiquement
important. Bien entendu, ces jeux furent
produits à l'échelle du Grand tour
de l'Europe, et on y avait inclus tout
ce que l'on pensait être intéressant.

JOHN HARRIS,
LONDRES

John Harris reprit l'entreprise d'édition d'Elizabeth Newbery en 1801.
Il commença par produire des jeux,
puis fabriqua quelques puzzles. Il
avait conservé l'adresse de Newbery,
sous l'enseigne "Original Juvenile
Library". En 1843, Harris revendit
son commerce à Grant & Griffith.
Certaines éditions furent réalisées en
collaboration avec John Wallis.

16

Walker's New Geographical Game Exhibiting
a Tour Throughout Europe *(Nouveau jeu
géographique à travers toute l'Europe)*. On joue
au jeu de Walker de la même manière qu'au
Tour d'Europe de Wallis ; il s'agit d'une gravure
colorée à la main montée sur toile de lin, éditée
par W. & T. Darton pour son auteur, Walker, à la
date du 1er mai 1810. Il présente les capitales,
les villes et routes maritimes principales, et la
brochure indique les règles du jeu, les pénalités
et récompenses relatives à chaque élément.
Comme dans les autres jeux, l'accent est mis sur
les éléments historiques et géographiques liés au
commerce. Les champs lexicaux présents dans
la brochure étaient très larges et, dans la mesure
où ces jeux étaient destinés à des enfants de
moins de 12 ans, ils apportaient du savoir
tout autant qu'ils encourageaient la lecture.

17

Round the World with Nellie Bly *(Autour du monde avec Nellie Bly), dont J. A. Crozier obtint les droits exclusifs en 1890, est un jeu de course décrit comme un nouveau jeu exaltant et fascinant sur terre et sur mer. Il a aussi été édité en 1904 et a été produit pendant plusieurs années par les frères McLoughlin. Nellie Bly était en fait une journaliste d'investigation, de son vrai nom Elizabeth Cochrane Seaman. En 1889-1990, elle fit le tour du monde en 72 jours, 6 heures et 11 minutes, battant ainsi le record de Phileas Fogg, le héros du roman de Jules Verne,* Le Tour du monde en quatre-vingts jours.

17

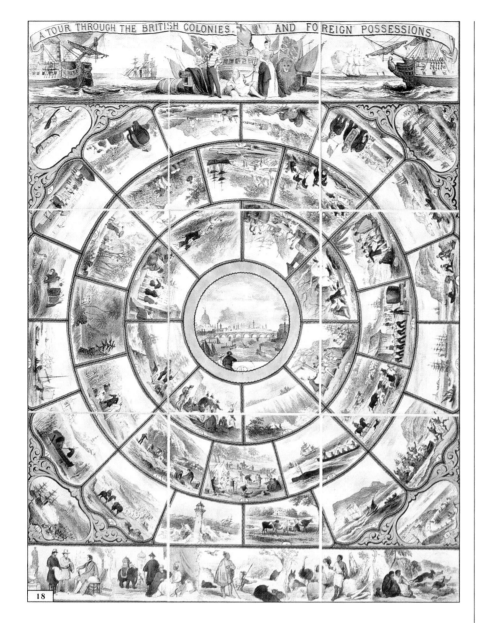

19

19

L'Inde et d'autres lieux mentionnés dans À à travers les colonies anglaises et les possessions étrangères *se trouvent aussi dans le* Dioramic Game of the Overland Route to India *(Jeu dioramique du chemin vers l'Inde par la terre), une lithographie colorée éditée en 1850 par William Sallis. Encore une fois, de longues descriptions détaillées ainsi que des instructions se trouvent dans le petit livret, mais les joueurs partent cette fois des docks de Southampton et finissent leur voyage à Calcutta.*

18

Dans la plupart des anciens jeux de géographie anglais, Londres est le point de départ et le point d'arrivée des joueurs. Dans son jeu A Tour Through the British Colonies and Foreign Possessions *(À travers les colonies anglaises et les possessions étrangères), une lithographie peinte à la main éditée vers 1850, John Betts considère Londres comme la métropole de l'empire britannique. Les 36 cases sont instructives, et leurs descriptions, faisant parties du jeu, doivent être lues. De façon intéressante, deux routes pour l'Inde sont possibles, une par la terre via Alexandrie, décrite comme*

importante même si elle n'est pas une colonie, et l'autre par la Sierra Leone et Le Cap. Il peut être surprenant pour les lecteurs d'aujourd'hui de voir la richesse de certains des commentaires mis à jour : par exemple, le désaccord sur la vente de poudre à canon et d'alcool aux Indiens d'Amérique du Nord, ou le fait que Newfoundland a été redécouverte par Sebastian Cabot en 1496. Avec le livret se trouve un catalogue d'autres jeux édités par Betts, tous éducatifs. Ceux-ci comprenaient des puzzles scripturaux, des jeux mathématiques, scientifiques et d'orthographe, ainsi que des cartes.

20

20

Les mystères de l'Orient, donnant lieu à une illustration imaginative, peuvent se découvrir dans The Noble Game of the Elephant and Castle ou Travelling in Asia (Le noble jeu de l'éléphant et du château ou Voyager en Inde), édité par William Darton en 1822. Ce jeu insiste particulièrement sur l'apprentissage par la lecture, un livret de 84 pages de texte accompagnant les 24 compartiments qui se trouvent sur cette gravure colorée à la main.

21

Utilisant le jeu de course et une carte des États-Unis, les frères McLoughlin ont obtenu en 1893 les droits exclusifs du Game of Uncle Sam's Mail (Jeu du courrier de l'oncle Sam). L'étiquette lithographiée sur la boîte montre les différentes façons de transporter le courrier d'une partie à l'autre du pays ; le but du jeu est d'être le premier à atteindre sa destination en apprenant beaucoup sur le pays lui-même.

22

22

Les mystères de l'Orient étaient un thème populaire dans plusieurs pays concurrents. Game of Japan (le Jeu du Japon) a été édité en 1903 par la société de lithographie Ottoman Litho de New York, qui a produit un grand nombre de jeux très bon marché.

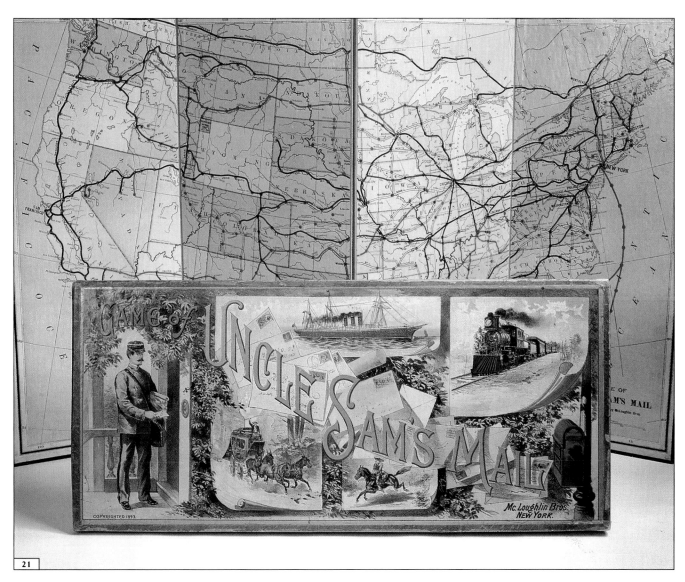

21

23

Un intéressant puzzle en bois à deux côtés,
que l'on désignait par le terme d'origine de
"découpé" dans son titre descriptif, montrait
une carte de l'État de New York. Sorti dans
les années 1890 sous le nom de série de Silent
Teacher, il porte la mention de son éditeur :
"C. E. Hartman, Utica, N.Y.", décrit comme le
"Successeur du Révérend E. J. Clemens" et
comme "fabricant de cartes découpées",
suivant ainsi la tradition anglaise vieille d'un
siècle. Les puzzles Silent Teacher furent d'abord
sortis dans les années 1870 par l'Union Sectional
Map Company, puis dans les années 1880
par le Révérend E. J. Clemens, qui en exploitait
le marché. Dans les années 1890, Hartman en
détenait le contrôle.

24

Dans les années 1930, les frères Parker ont fabriqué un jeu de géographie qui était aussi basé sur les aventures de l'Amiral Byrd et son voyage au pôle Sud. Le titre est assez explicite : Admiral Byrd's South Pole Game "Little America" *(Jeu de l'Amiral Byrd au pôle Sud "Petite Amérique"), mais le jeu donne surtout une idée des télécommunications et des transports modernes de l'époque.*

25

The Game of the World Flyers Air Race, Around the World Flight *(Le jeu de la course mondiale d'aviateurs autour du monde) a été édité en 1928. Ce jeu de la société Alderman Fairchild Compagny se sert de modèles d'avions comme pions, et chaque joueur suit son propre chemin coloré autour du plateau. Les coups sont déterminés par un dé et les directions sont imprimées sur les cases du jeu. Les mouvements en arrière et en avant, et les tours à passer font partie des gages et des récompenses de ce jeu.*

L'HISTOIRE SIMPLIFIÉE

Les jeux britanniques qui enseignaient la géographie, bien qu'ils considéraient le monde essentiellement d'un point de vue national, admettaient que d'autres endroits et d'autres populations puissent être dignes d'intérêt. Cependant, les jeux ayant une connotation historique étaient quant à eux ethnocentriques et strictement basés sur des événements relatifs aux îles britanniques. Pendant la période où la plupart des jeux ont été édités, sous le règne du roi George III (1760-1820), ce souverain est devenu le point central des jeux, que les événements se soient passés de son vivant ou non. Si on étudiait les jeux sans aucune connaissance préalable, on pourrait en conclure que la Grande-Bretagne et son peuple n'existaient pas avant 1066, car la plupart des jeux commencent par la bataille d'Hastings et Guillaume le Conquérant.

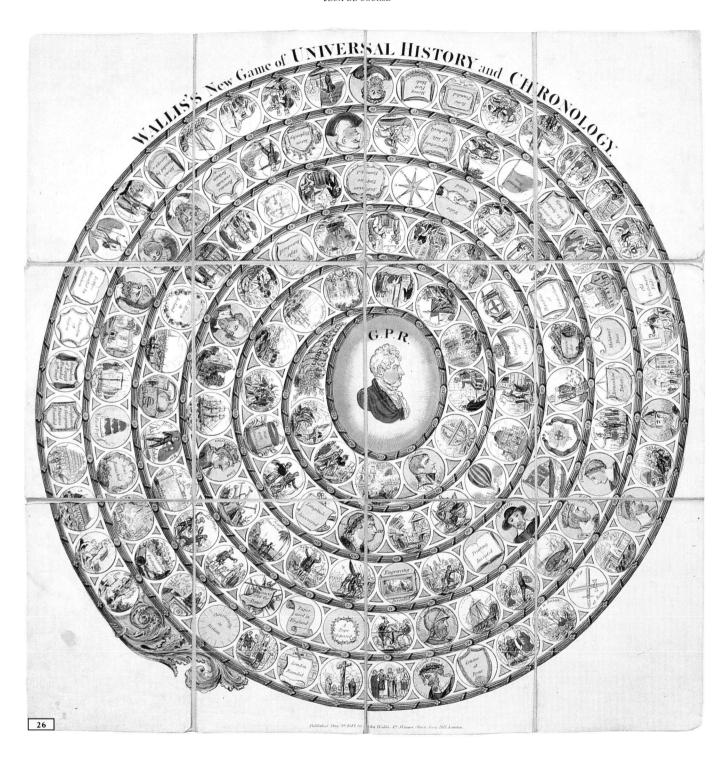

26

26

Cependant, certains jeux commencent
à partir d'Adam et Ève. Sur les 138 cases
illustrées du New Game of Universal
History and Chronology (Nouveau jeu
de l'histoire et de la chronologie universelle)
de John Wallis, les 75 premières sont
consacrées à des événements antérieurs à
1066. Chaque case est datée, commençant
par l'an I de notre ère, et toutes les dates

sont précises même si certaines nous
paraissent aujourd'hui assez fantaisistes et
peu crédibles – par exemple, ici le Déluge
date de 1636 av. J.-C.. Au centre se trouve
George, prince régent (futur roi George IV).
Une autre version éditée vers 1840 avait
cinq compartiments au lieu du portrait. Parmi
les nouveaux sujets se trouvait également le
roi Guillaume IV et la reine Victoria, le mariage
de la reine Victoria et une locomotive.

Le règlement qui accompagnait le premier
exemplaire donnait de brèves descriptions
sur chaque case et quelques instructions,
et à la fin du livret se trouvaient de longues
descriptions de certains des sujets qui
devaient être lus à haute voix si un des
joueurs tombait sur un certain nombre.
Ce jeu est une gravure peinte à la main,
édité le 20 mai 1814 par John Wallis.

27

27

La case de départ du Nouveau jeu de
l'histoire et de la chronologie universelle
de Wallis, que se soit l'édition de 1814 ou
de 1840, a une illustration d'Adam et Ève.

28

Alors que la case d'arrivée au centre
du jeu de 1814 montre le portrait de George
prince régent, ici en photo, le centre de
la deuxième édition est assez différent.
Il montre cinq petits compartiments
à la place du portrait.

29

Réduire la période couverte a permis
aux éditeurs d'approfondir les détails
de l'histoire qu'eux-même et le public
pensaient déterminants pour le pays.
Le 1er décembre 1803, John Harris,
conjointement avec John Wallis, a édité
Jeux historiques ou Un nouveau jeu
de l'histoire de l'Angleterre. Celui-ci montre
158 médaillons représentant un grand
nombre d'événements et de personnages,
chacun d'eux étant répertorié dans le mode
d'emploi. Les détails sur tous les rois et
reines, allant de Guillaume Ier à George III,
se trouvent dans le livret. Dans ce jeu, qui
est une gravure, les médaillons sont peints
en une couleur unique – bleu, rose, vert ou
jaune – plutôt que rehaussés avec des
couleurs appropriées.

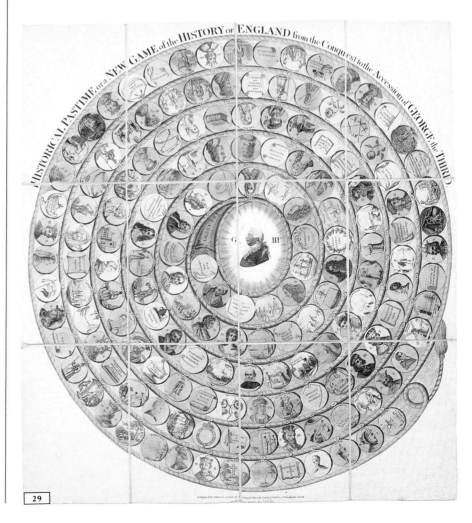

29

30

30 **31** *Ceci est une version retravaillée du Nouveau jeu de l'histoire et de la chronologie universelle de Wallis, éditée vers 1840 avec cinq nouvelles cases centrales.*

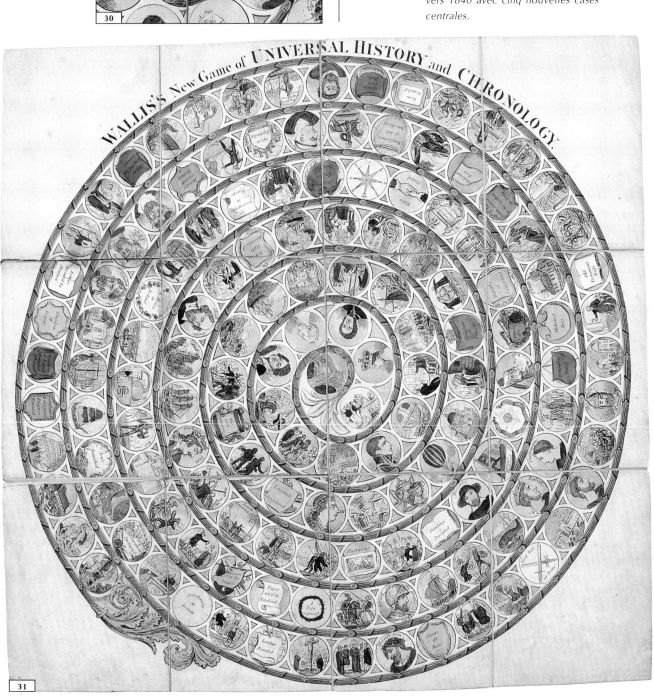

31

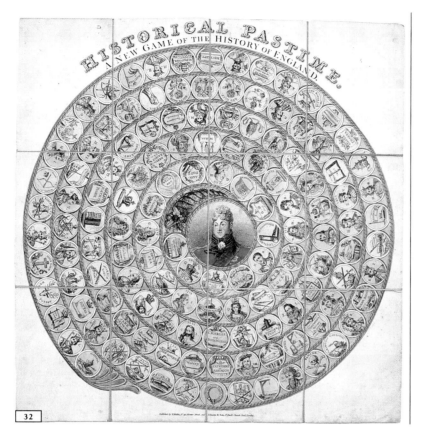

32

33

32

Version mise à jour et retravaillée de Historical Pastime, A New Game of the History of England (Jeux historiques, nouveau jeu de l'histoire de l'Angleterre), éditée en 1828. Il y a quelques changements, notamment la case centrale qui nous montre le portrait de George IV. Ce jeu, comme l'ancienne version, a des médaillons peints dans l'une de ces quatre couleurs : bleu, vert, rose ou jaune.

33

Ce jeu, The Jubilee (Le Jubilé), édité par John Harris en 1810, est une gravure rehaussée à la main. La case centrale montre le portrait du roi George III.

34

Comme pour Jeux historiques, chacune des 150 cases du Jubilé est détaillée, et quelques lignes retraçent, année par année, les événements importants. Ce texte, qui fait l'éloge du roi dans un langage fleuri, décrit également certains des événements les plus désagréables. Il inclut aussi des descriptions de découvertes scientifiques et géographiques. Chaque scène est rehaussée par de belles couleurs.

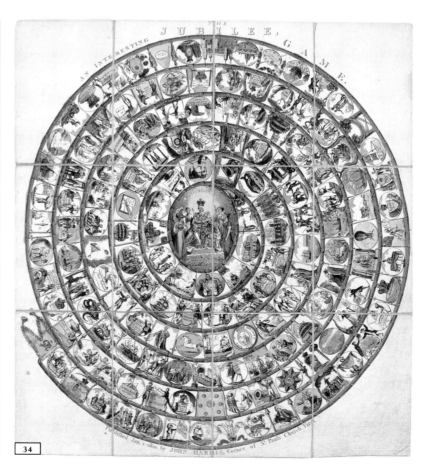

34

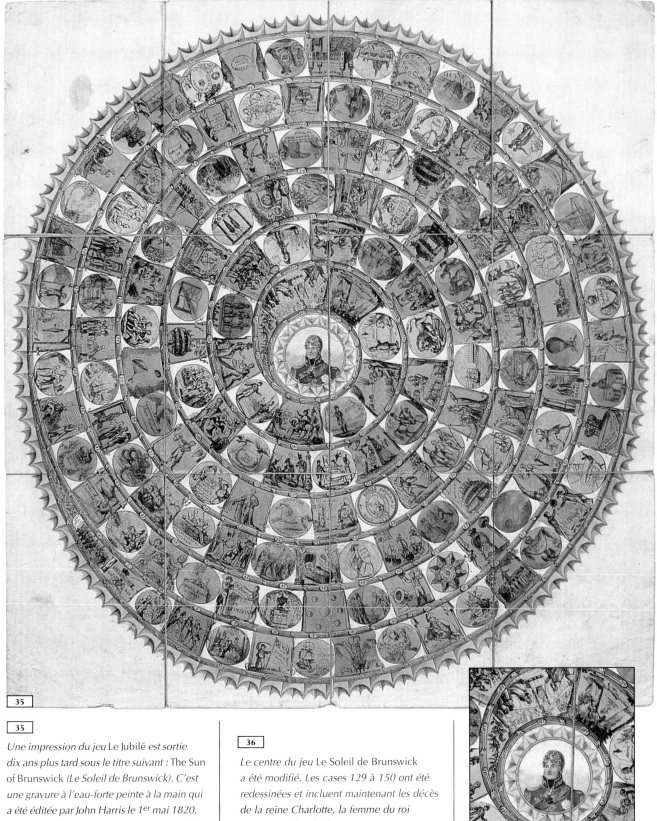

35

35

Une impression du jeu Le Jubilé est sortie
dix ans plus tard sous le titre suivant : The Sun
of Brunswick (Le Soleil de Brunswick). C'est
une gravure à l'eau-forte peinte à la main qui
a été éditée par John Harris le 1er mai 1820,
mais les cases sont différentes de celles de la
première version. Chaque compartiment est
peint dans une couleur unique – bleu, rose,
vert ou jaune.

36

Le centre du jeu Le Soleil de Brunswick
a été modifié. Les cases 129 à 150 ont été
redessinées et incluent maintenant les décès
de la reine Charlotte, la femme du roi
George III, de Charlotte Augusta, princesse
de Galles, fille du roi George et héritière
légitime du trône, et du roi George III
lui-même.

36

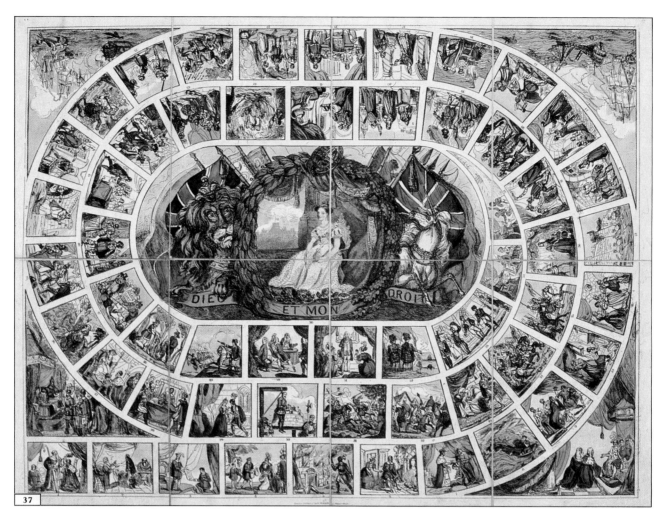

37

37

Les derniers jeux de plateau sur l'histoire
de l'Angleterre ont été édités pendant
le règne de la reine Victoria. D'importants
changements sociaux étaient en train
d'arriver et l'idée d'enseigner grâce à cette
forme de jeu perdait de l'intérêt. Cependant,
avec l'avènement de la nouvelle reine en
1837, un certain nombre de jeux furent mis
à jour pour y inclure son couronnement
et son mariage. Ici, British Sovereigns
(Souverains britanniques), édité par
John Passmore et Edouard Wallis
vers 1840, montre des reines et
des rois anglais depuis Egbert.

38

Amusement in English History (S'amuser avec
l'histoire de l'Angleterre), édité par William
Sallis vers 1840, montre des faits antérieurs
au roi Guillaume Ier. Mais, comme British
Sovereigns (Souverains britanniques),
il est moins imagé que les premiers jeux.

38

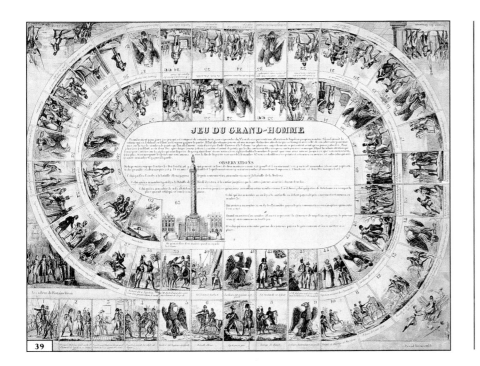

39

Les jeux d'histoire et de géographie n'étaient évidemment pas l'apanage de l'Angleterre. Le Jeu du Grand-Homme, qui comporte *63 cases, célèbre les événements important de la vie de Napoléon Ier. Ce jeu a été édité à Paris en 1835 par Veuve Turgot.*

40

Le Jeu des monuments de Paris, *organisé* comme Le Jeu du Grand-Homme, *fut aussi édité vers 1835. Les règles de ces deux jeux se trouvent au centre.*

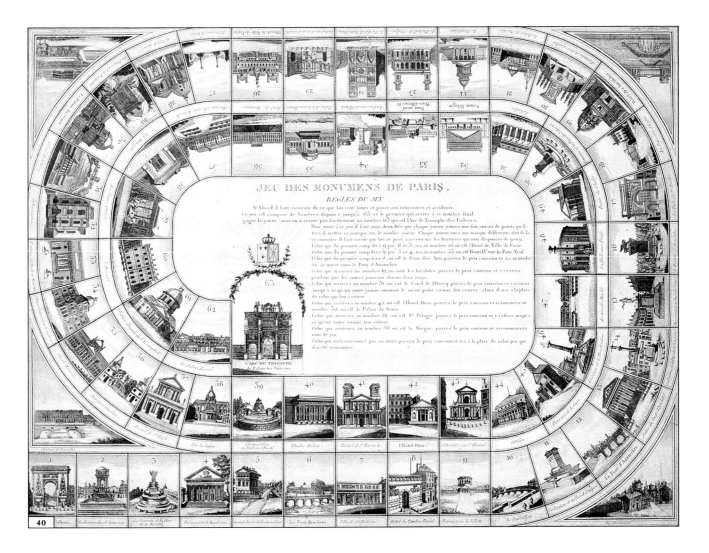

S'INSTRUIRE EN S'AMUSANT

L'utilité éducative finale de ces premiers jeux de course était d'abord des sujets tels que les mathématiques, l'histoire naturelle et les langues. Joués correctement, les parties se transformaient en un agréable apprentissage.

41

Un jeu pour enseigner les mathématiques a été édité le 15 décembre 1791 par C. Taylor. Intitulé An Arithmetical Pastime (Un divertissement arithmétique), ce jeu est une gravure peinte à la main qui se trouve composé de 100 cercles, certains illustrés et d'autres avec des indications et des gages. Ces derniers consistent à répéter certaines tables numériques ; certaines sont faciles – les heures, par exemple – et d'autres moins – comme le tableau des poids et mesures (en livres et en onces). Dans les coins se trouvent les tables d'addition, de soustraction, de multiplication et de division ainsi que les instructions. Si un joueur ne pouvait pas exécuter son gage, il ou elle pouvait choisir entre passer son tour et reculer. Le même jeu a été édité en 1798 par John Wallis. Par la suite, les règles du Divertissement arithmétique ont changé. On avait besoin de deux totons pour apprendre les disciplines mathématiques. Les joueurs soustrayaient le nombre montré sur le toton du nombre de l'autre (quel que soit le plus grand), ou multipliaient les nombres montrés et utilisaient le dernier nombre du résultat pour avancer, ou divisaient les deux nombres et utilisaient le résultat pour avancer. Les compartiments du tableau sont utilisés en parallèle avec les directions. Chacun d'eux comprenait une phrase à lire, des gages et des récompenses. C'était un jeu qui enseignait tout – la morale, l'histoire, la géographie et l'arithmétique.

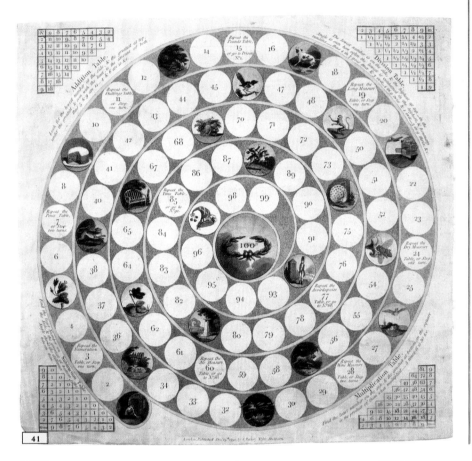

41

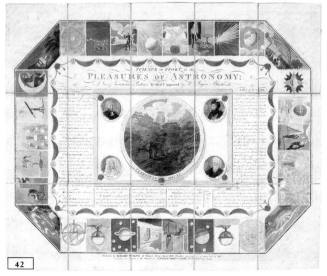

42

Les jeux d'astronomie sont très proches des jeux d'arithmétique. Science in Sport (la Science dans le sport) ou The Pleasures of Astronomy (Les plaisirs de l'astronomie) ont été édités par John Wallis en 1804. Les 35 cases montrent des portraits d'astronomes et des représentations de phénomènes astronomiques. À cette époque, seulement neuf planètes et leurs mouvements dans le système solaire étaient connus. On peut voir aussi des cases de fiction (l'homme sur la Lune), de comportements (le garçon studieux et l'imbécile), des signes du zodiaque, des comètes, des arcs-en-ciel et des astronomes. Ce jeu, une gravure peinte à la main montée sur du lin, a été édité plus tard par Edward Wallis.

43

Circle of Knowledge (le Cercle de la connaissance), édité vers 1845 par John Passmore, couvre une grande variété de sujets que l'on retrouve toutes les seize cases. Le jeu est fait de quatre cercles concentriques ; trois contiennent chacun seize dessins et le cercle central figure les signes du zodiaque et les quatre points cardinaux. Par exemple, l'Europe est représentée sur les cases 1, 17 et 33 alors que l'Asie se trouve sur les cases 5,

21 et 37. L'Afrique et l'Amérique sont aussi représentées, ainsi que les quatre saisons, les quatre maisons du zodiaque et les quatre sciences – l'électricité, la chimie, l'optique et l'astronomie. Les illustrations sont assez inhabituelles – le feu, par exemple, est représenté par un volcan, une ferme en feu et l'explosion d'un cratère, et l'optique est représenté par un télescope géant, un spectacle de lanternes magiques et un tunnel en perspective.

44

Édité par William Darton en 1820, British
and Foreign Animals *(les Animaux anglais
et étrangers) est peut-être l'un des meilleurs
jeux d'histoire naturelle ; son sous-titre
est "Un nouveau jeu, moral, instructif
et amusant, créé pour ouvrir les esprits
de la jeunesse vers la connaissance
des merveilles de la nature". Le livret de
56 pages décrit chaque animal en détail
et donne aux joueurs de nombreux faits
qui sont encore vrais aujourd'hui.
On peut y trouver des animaux domestiques
et sauvages de tous les continents, même
le kangourou australien. Certaines
instructions pour le jeu, les gages
et les récompenses sont donnés dans
le texte, mais il semble que le plus grand
désir de l'éditeur était d'instruire les enfants.*

44

45

*La gravure peinte à la main des Animaux
anglais et étrangers est montée sur
du lin. Lorsque l'on ne s'en servait pas,
le jeu était plié et rangé avec son livret
d'instruction, qui est daté de 1820, dans
un coffret en carton portant une étiquette
gravée très sophistiquée.*

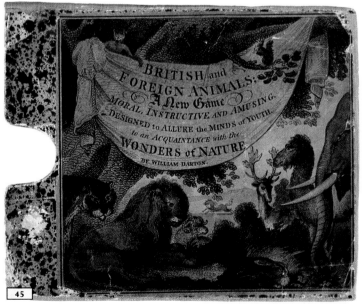

45

46

Un jeu, accompagnant les Animaux anglais et étrangers, a été édité par William Darton en 1822 et porte l'étrange nom de The Delicious Game of the Fruit Basket (Jeu délicieux du panier de fruits). La seule référence aux fruits est l'illustration gravée et peinte à la main, car c'est un jeu strictement destiné à enseigner la morale à partir des institutions britanniques. Il est intéressant car beaucoup d'institutions sont décrites, comme les pénitenciers et les tribunaux, l'Académie royale, les hôpitaux, les écoles nationales et l'École pour aveugles, ainsi que diverses sciences et religions. On trouve bien sûr des gages et des récompenses, mais le principal but du jeu est d'encourager l'apprentissage et la lecture, plutôt que de gagner.

47

À partir du milieu du XIXe siècle, d'autres formes de jeux, notamment les jeux de cartes, ont petit à petit remplacé les jeux de course éducatifs. Cependant, tous les jeux édités entre 1770 et 1850 n'étaient pas strictement éducatifs, certains étaient destinés à être joués pour le plaisir ou l'intérêt. Un jeu français, édité en 1778 par Crépy de Paris, montrait des coiffures et des costumes féminins. Le plateau, une gravure, a 63 cases numérotées, chacune montrant la tête ou le corps d'une femme. Dans chaque coin se trouve une scène des différents moments de la journée et les règles sont au centre. Comme le dit le titre, ce jeu "était dédié au beau sexe".

Un jeu pour cinq personnes, édité par William Darton en 1836, montre un paysage maritime imaginaire qui illustre les dangers et incidents pouvant arriver aux navigateurs. Chaque joueur suit son propre chemin, et les instructions pour avancer sont données par une boussole à cinq directions. Le jeu, une gravure peinte à la main, arbore un titre plutôt curieux : A Voyage of Discovery or The Five Navigators (Voyage de la découverte ou Les cinq navigateurs).

49

The Regatta (La Régate), une lithographie peinte à la main, a été éditée en Angleterre vers 1850 par une société inconnue. C'est un autre jeu de navigation étrange, mais basé sur l'île de Wight et montrant le Solent et le Spithead, ainsi que de nombreux autres navires.

JEUX DE COURSE ET JEUX ÉDUCATIFS AU XXᵉ SIÈCLE

Au début du XXᵉ siècle, on assista à un renouveau des jeux éducatifs, même si peu d'entre eux eurent des règles aussi strictes que celles des premiers jeux. Nombre d'entre eux combinaient bonnes intentions et thèmes imaginatifs.

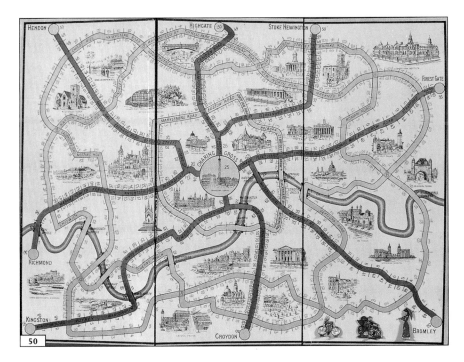

50

Round the Town (*Autour de la ville*) fut conçu en Angleterre comme faisant partie des *Séries du globe*, et imprimé par chromolithographie en Bavière entre 1900 et 1910. Le jeu comprenait six pions peints, en plomb, représentant des voitures, des vélos et des personnages ; ils étaient probablement fabriqués par Britains Ltd., la firme réputée pour ses soldats de plomb. Le plateau de jeu montre un certain nombre d'endroits bien connus de Londres, et le jeu est complété par deux dés en os.

51

Dans un genre très proche du Cycling Game (*Jeu de vélo*) on trouve ce jeu, Flivver Game (le *Jeu du tacot*) publié par Milton Bradley en 1922. Un terme d'argot américain des années 1920, désignant une voiture ou un avion bon marché, lui sert de titre. Il comprend des voitures en plomb servant de pions, et deux lanceurs (dispositif en carton, remplaçant le dé, et utilisé aux États-Unis) très insolites : ce sont en fait les roues du tacot, découpées et assemblées sur un grand carton, qui déterminent les mouvements des joueurs. Ces derniers progressent sur le plateau, suivant les instructions données sur les cases.

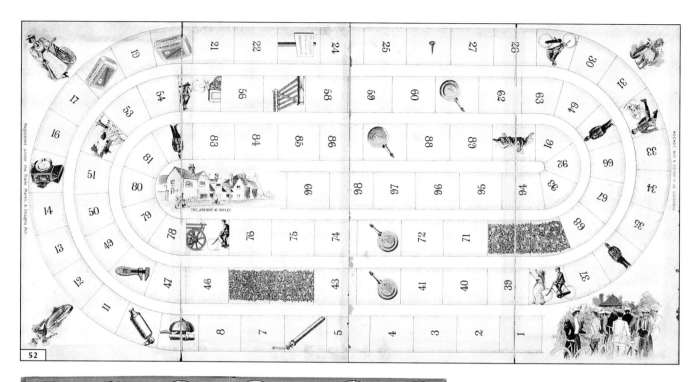

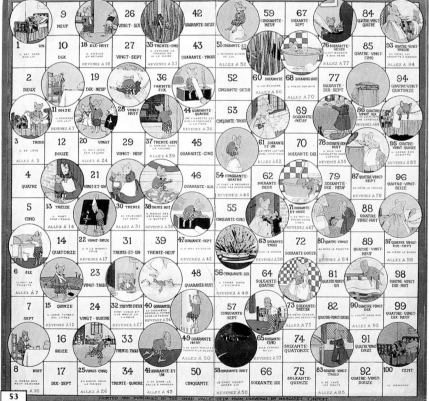

Wheeling *(Tour de roue)*, édité par J. Jaques & Sons au début du XXᵉ siècle, est imprimé par chromolithographie. Ce jeu, qui comporte aussi des pions en plomb représentant des cyclistes, a comme sous-titre : "jeu nouveau et excitant pour les cyclistes". Il met en scène diverses aventures et mésaventures survenant à ces derniers.

Les jeux pour apprendre les langues sont ordinairement des jeux de cartes, mais on trouve parfois des jeux de plateau. *La journée d'un souriceau* utilise des dessins de Margaret Tempest. Toutes les directions et tous les nombres sont en français, et le sous-titre indique : "jeu amusant pour apprendre le français". Réalisé par chromolithographie, il fut fabriqué par Chad Valley Company, à Birmingham, en 1924.

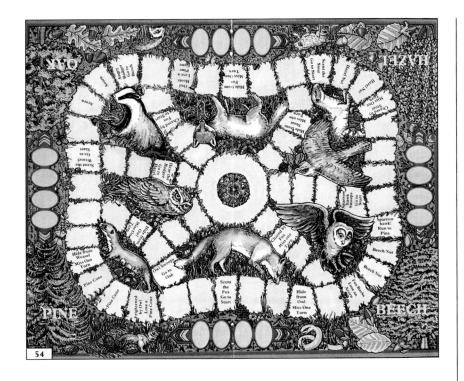

54

Un mulot, un écureuil roux, un campagnol nageur et un rat des champs sont réunis dans The Wild Wood *(La forêt sauvage), jeu récemment fabriqué. Les joueurs doivent rassembler des provisions pour l'hiver, et le jeu tente de leur inculquer des connaissances sur les modes de vie de ces petits habitants des bois. Le jeu fut publié pour National Trust par Squirrel Publishing, en 1984, et dessiné par Bob Westley.*

JEUX DE DIVERTISSEMENT

Au XXe siècle, nombre de jeux de plateau n'ont eu qu'un objectif ludique. En outre, ils sont souvent basés sur des personnages romanesques, des gens ou des événements bien connus ; parmi ceux-ci, on en trouve deux qui sont apparus dans la littérature enfantine des années 1930 : Peter Rabbit et Winnie l'Ourson.

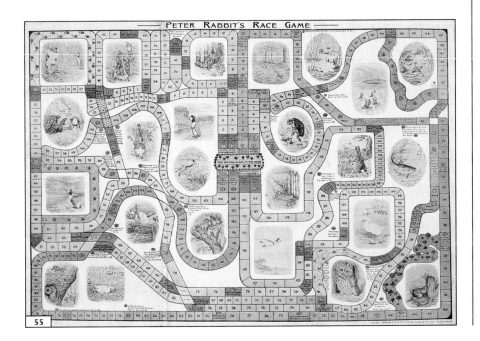

55

Peter Rabbit Race Game *(la Course de Peter Rabbit) est conçu pour quatre joueurs, chacun voyageant le long d'un des sentiers, et expérimente des aventures pendant ce trajet. Le sous-titre annonce que c'est "un jeu de plateau passionnant, permettant de découvrir les personnages mondialement connus de Beatrix Potter, tels que le lapin Peter, l'écureuil Nutkin, la grenouille Jeremy et le canard Jemima Puddle". Le jeu, chromolithographié, fut publié par Frederick Warne & Co. Ltd., de Londres, aux alentours de 1930. La société publiait également les livres d'où sont tirés les personnages.*

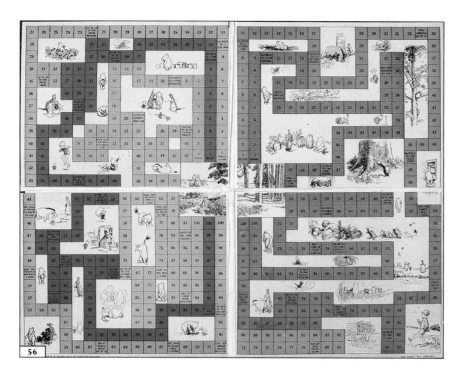

56

Winnie The Pooh's Race Game
*(le Jeu de Course de Winnie l'Ourson)
est, naturellement, très semblable quant
au format à celui de Peter Rabbit. Il montre
quelques-unes des aventures que l'on peut
trouver dans les livres de A.A. Milne,
quoiqu'il soit moins plaisant et que les
couleurs soient plus brillantes. Il a été
imprimé par chromolithographie et publié
par Teddy Toy Company, de Londres,
en 1935. Les deux jeux (celui de Winnie
l'Ourson et celui de Peter Rabbit) se jouent
avec des dés, et le seul but est de gagner.*

58

Le dessin de la boîte du jeu Little Noddy's Train Game (*Le train de Oui-Oui*) est plus charmant pour un œil d'enfant que la plupart des jeux précédents, car il est plus vif et plus simple.

57

Ce jeu est basé sur les œuvres d'Enid Blyton. Il comporte un plateau avec quatre sentiers, chaque joueur ayant un pion en plastique en forme de locomotive, de couleur assortie à chaque sentier. Le lanceur, qui comprend des chiffres de 1 à 6, comporte aussi une division qui peut faire reculer le joueur de trois cases. Cela s'ajoute aux mouvements indiqués sur le plateau lui-même. Le jeu se jouait sur un plateau chromolithographié, publié par B. & S. Company, de Londres, sous la marque BeStime. Une publicité le décrit comme "nouveau" en octobre 1957.

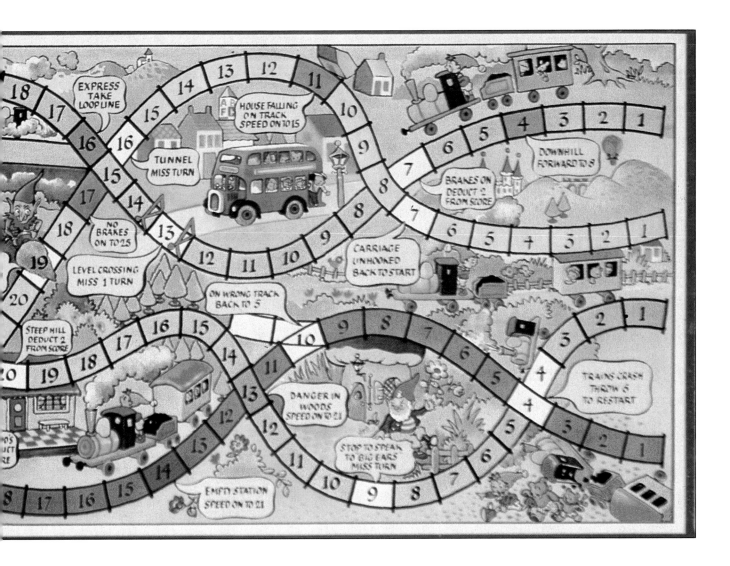

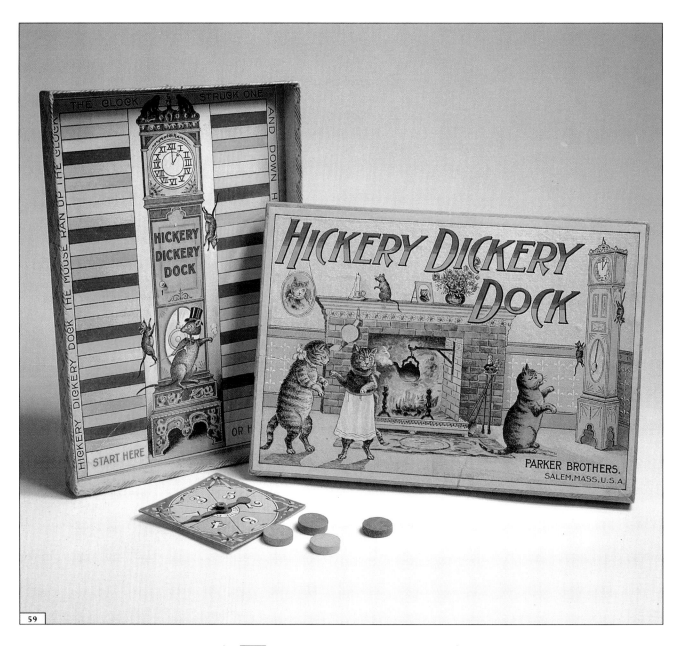

59

59

Certains jeux s'appuient sur
des comptines et sont conçus
pour les jeunes enfants. C'est le cas
du jeu Hickory, Dickory Dock publié
par Parker Brothers en 1900. Le plateau
est en fait l'intérieur du couvercle.
Les déplacements sont déterminés
par un lanceur, marqué de 1 à 6.
Les chats que l'on voit sur l'illustration
du couvercle rappellent des peluches
que l'on pouvait trouver à la même
époque, fabriquées par des sociétés
américaines. Certains de ces dessins
sont repris aujourd'hui.

60

Hollywood en soi n'eut pas d'effet réel sur les jeux, mais les films, si. Les productions Walt Disney brevetèrent nombre de leurs personnages de dessins animés pour en faire toutes sortes de jeux, tels que Sleeping Beauty *(La Belle au bois dormant). Les joueurs sont les princes qui tentent de réveiller la belle. Comme il faut des scores exacts pour entrer dans certains des compartiments du jeu, le lanceur a certains nombres inscrits deux fois, ainsi qu'une bonne fée et une mauvaise fée. À partir d'un certain point, l'intérêt du jeu est renforcé car deux sentiers sont proposés, l'un court et dangereux, l'autre long mais sûr. Le jeu fut déposé en Angleterre par Bell Ltd., de Londres, en 1959.*

61

Oscar fut publié dans les années 1950 par un fabricant inconnu. Le jeu montre des illustrations de stars célèbres et représente la lutte pour obtenir la récompense convoitée.

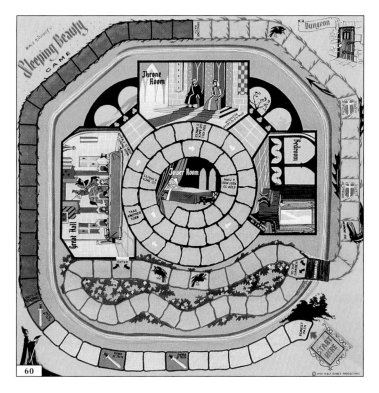

60

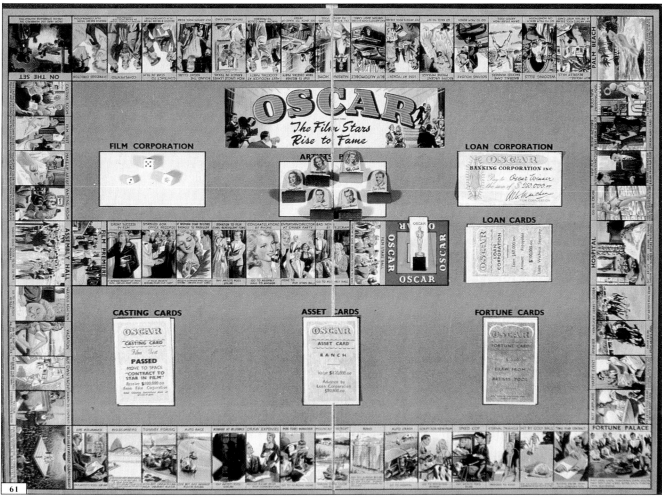

61

JEUX DE MORALE

LE BIEN ET LE MAL EN CHACUN DE NOUS

"Conçu pour l'amusement de la jeunesse des deux sexes, et calculé pour inspirer aux jeunes esprits l'horreur du vice et l'amour de la vertu" : ce sous-titre de *The New Game of Emulation* (Nouveau jeu d'émulation), de 1804, ne laisse aucun doute aux joueurs sur les buts des jeux de morale.

Pour enseigner la "morale", les éditeurs utilisèrent le même style de jeux que pour les courses, mais en employant deux méthodes distinctes. L'une est basée sur la progression à travers la vie, de l'enfance à la vieillesse, avec toutes les tentations que l'on peut rencontrer le long du chemin ; ces types de jeux portent généralement le titre sans ambiguïté de *Jeu de la vie humaine*. Plus tard arrivèrent les jeux destinés aux enfants, qui renforcent l'idée que si vous êtes bon vous serez récompensé, et que si vous ne l'êtes pas vous serez puni. Ces jeux ont des noms plus fantaisistes : *La maison de la satisfaction*, *La maison du bonheur*, ou *La maison de la félicité*, sans oublier le bon vieux *Vertu récompensée et vice puni*, qui ne laisse aucun doute sur sa finalité.

Les règles du jeu sont semblables à celles des autres jeux de course ou éducatifs, avec une cagnotte ou une caisse, un dé ou un toton, des indicateurs et des pions. Il y a des récompenses et des pénalités de toutes sortes, certaines plus dures que d'autres. Comme ces jeux ont été conçus pour enseigner la probité, beaucoup introduisirent un changement significatif : l'usage d'un toton au lieu d'un dé, celui-ci étant considéré comme immoral. Ces totons sont des sortes de petites toupies dont le corps en forme de prisme comporte un certain nombre de facettes, le plus souvent six, mais certains en ont quatre, et d'autres jusqu'à douze. Chaque facette porte un nombre ou une lettre. Les règles du *Nouveau jeu de la vie humaine* comprennent cet avertissement : "Nous informons l'acheteur que le toton doit comporter les chiffres 1 à 6 ; pour éviter d'introduire un jeu de dés au sein des familles, chaque joueur devra le faire tourner deux fois, ce qui remplira le même office."

62

Virtue Rewarded and Vice Punished, *(Vertu récompensée et vice puni), de William Darton, 1820 (voir n° 73).*

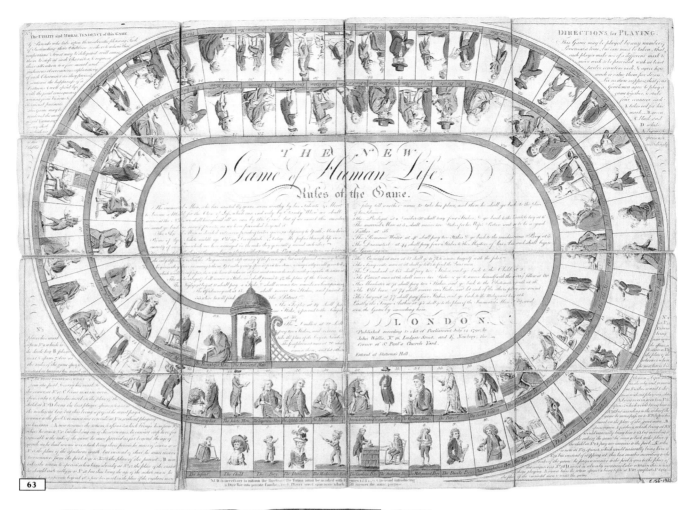

63

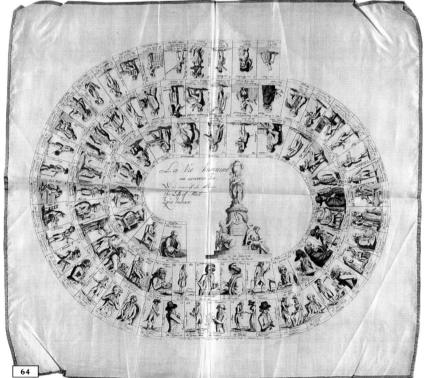

64

64

Presque identique au Nouveau jeu de la vie humaine et datant de la même période, voici La vie humaine, produit par le berlinois Simon Schropp, aux alentours de 1790, et imprimé sur un panneau de soie. Toutes les légendes sont en quatre langues (français, allemand, anglais et polonais) ; toutes les illustrations (sauf la dernière) sont des images inversées du jeu de Wallis. La dernière illustration montre un monument commémoratif avec un buste, sans doute celui de Léopold, Prince de Brunswick (1752-1785).

65

Un deuxième jeu allemand, avec aussi un titre français, décrit toutes les époques de la vie d'un homme, il s'appelle Le grand terme ou Le jeu des temps ; il s'agit d'une gravure à l'eau-forte rehaussée à la main, publiée aux alentours de 1830. Les titres sont seulement en français et en allemand. Il se joue cependant de la même manière que les autres, avec des récompenses et des pénalités, et une cagnotte centrale.

63

Bien qu'il montre les époques de la vie de l'homme, divisée en sept périodes de douze ans, The New Game of Human Life (Le nouveau jeu de la vie humaine) n'est pas réservé aux garçons, comme le révèle le titre : "… Récréation la plus agréable et raisonnable jamais inventée pour la jeunesse des deux sexes". Sous la rubrique "utilité et tendance morale de ce jeu ", les parents sont pressés d'instruire leurs enfants sur chacun des personnages, avec "quelques observations morales et judicieuses… opposant le bonheur d'une vie vertueuse et bien remplie avec les fatales conséquences d'occupations vicieuses et immorales". La plupart des noms

des personnages ont aujourd'hui la même signification, même si certaines punitions ne paraissent plus nécessaires de nos jours, notamment celles concernant les auteurs. Le romancier doit payer deux jetons et retourner à la case 5 de l'enfant espiègle, tandis que l'auteur dramatique doit en payer quatre, et recommencer le jeu. L'auteur tragique a sans doute la pénalité la plus sévère, car il va de la case 45 à la case 84, celle de l'homme immortel, et il meurt ; par ce déplacement, toutefois, le joueur gagne en fait le jeu et la cagnotte. Le nouveau jeu de la vie humaine, gravure peinte à la main, a été publié par John Wallis et Elizabeth Newbery le 29 juillet 1790.

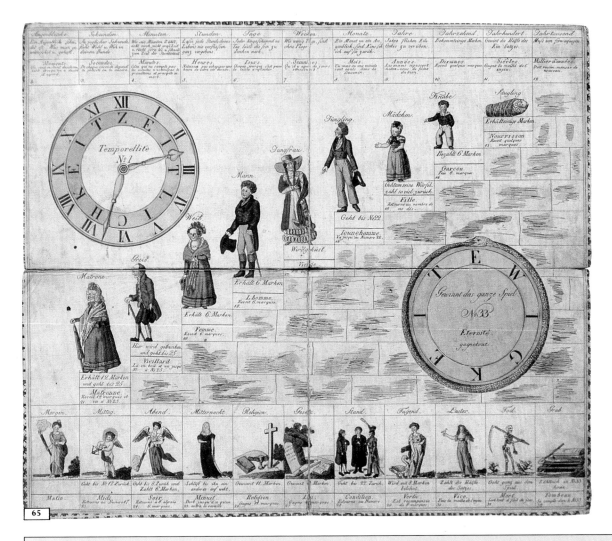

65

ELIZABETH NEWBERY, LONDRES

Elizabeth faisait partie de la famille Newbery, qui fut, durant le XVIIIe siècle, le principal éditeur de littérature pour enfants. Son établissement était dirigé par John Harris, qui l'acheta en 1801. Nombre de ses jeux et puzzles sortaient en commun avec John Wallis, y compris The New Game of Human Life (Le nouveau jeu de la vie humaine), sorti en 1790.

JEUX DE SOCIÉTÉ

66

Très éloigné du genre traditionnel des jeux de course, et plutôt tourné vers l'enseignement de la morale et de la bonne conduite, voici The Mount of Knowledge (Le mont de la connaissance), gravure peinte à la main publiée vers 1800 par trois personnes différentes travaillant ensemble : W. Richardson, de Greenwich, John Harris et John Wallis. Le jeu prend la forme d'un sentier qui serpente à travers un paysage ponctué de petits dessins circulaires, montrant des bois et des cours d'eau. Le premier cercle, appelé le Livre de la corne, reflète une des méthodes d'apprentissage utilisées à l'époque, et les instructions qui l'accompagnent demandent au joueur de passer un tour pour apprendre les lettres de l'alphabet ou bien "d'abandonner toute idée d'atteindre jamais le mont de la connaissance". Le cercle 5, le bois de bouleau, se réfère au fouet comme punition, et si le joueur reste là, il doit payer un gage pour éviter ce châtiment. Cependant, au cercle 9, qui représente la négligence, le joueur est renvoyé au cercle 5, et la punition est infligée. D'autres gages sont donnés pour le vagabondage, la vantardise, la perte de temps, l'oisiveté, l'indolence, l'obstination, l'ignorance, l'orgueil, la vanité, l'étourderie, tandis que la rose, au cercle 16, rappelle que parfois le plaisir s'accompagne de douleur. D'un autre côté, la primevère demande au joueur d'essayer d'imiter sa douceur et sa simplicité. La plupart des pénalités surviennent pendant les deux premiers tiers du jeu, de façon qu'arrivé au cercle 44, le joueur ait compris toutes ces dures leçons. Des récompenses peuvent être données pour le souvenir, le repentir, la patience, l'effort et l'application. Il n'y a que soixante cercles dans ce jeu, mais de nombreux gages sont imposés, obligeant les joueurs à reculer et à passer des tours.

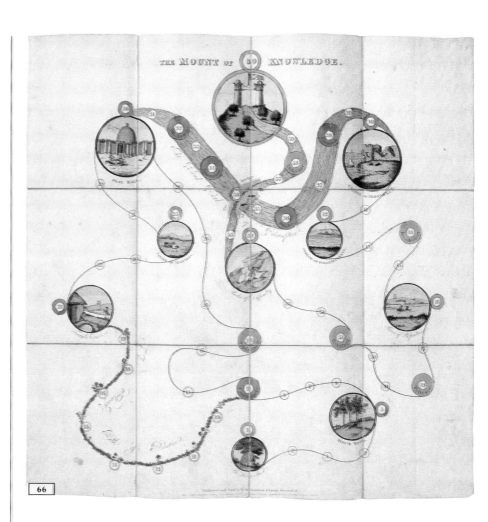

66

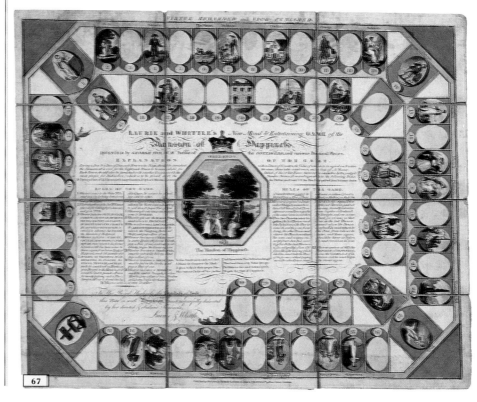

67

52

67

Alors que la plupart des premiers jeux de plateau portaient les noms des éditeurs et la date de publication, peu d'entre eux indiquaient l'inventeur, lorsqu'il y en avait un. Pourtant, en moins d'un an, deux jeux de morale furent "inventés" par un homme, George Fox, et édités par deux sociétés distinctes. Le premier jeu, The Mansion of Happiness (La maison du bonheur), est une gravure peinte à la main, publiée par Robert Laurie et James Whittle le 13 octobre 1800. Il comporte 67 cases, qui représentent des vices et des vertus, avec au centre, à la case

67, une vue d'Oatlands Park, la résidence du Duc d'York. Ce jeu est très sévère, si on le compare à d'autres. Les "crimes" sont sérieux : vol, mensonge, ivrognerie, tricherie, et les punitions comprennent des peines de prison, des coups de fouet, le pilori et l'immersion. "Quiconque tombe dans une passion doit être plongé dans l'eau, être immergé pour le rafraîchir, et condamné à une amende." La maison du bonheur est aussi le titre de ce qui est considéré comme le premier jeu américain de plateau, publié par W. & S. B. Ives en 1843 (voir n° 190).

68

A New, Moral and Entertaining Game of the Reward of Merit (La récompense du mérite, "un jeu nouveau, moral et divertissant") est doux en comparaison ; il utilise des animaux et des oiseaux pour illustrer la plupart des 37 cases. Chaque illustration a un titre et deux lignes de texte descriptif, comprenant récompenses ou gages. Comme dans la plupart de ces jeux, être bon est plutôt ennuyeux, comparé au fait d'être méchant, et la proportion est toujours à peu près deux gages pour une récompense. La récompense du mérite, gravure peinte à la main, a été publiée par John Harris et John Wallis le 10 décembre 1801.

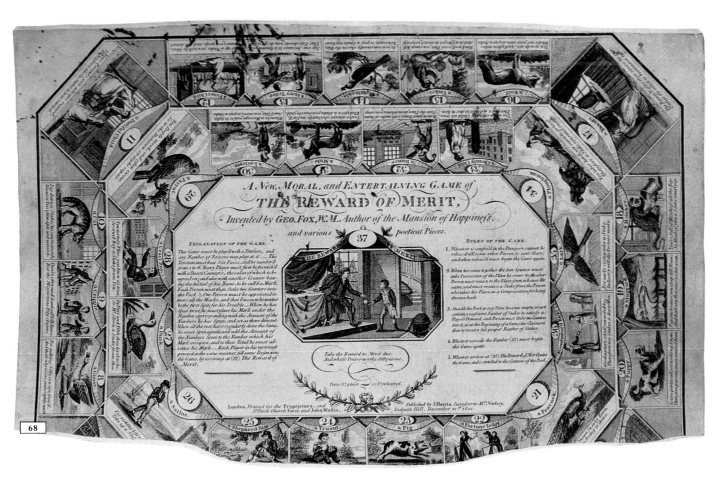

68

69

The New Game of Emulation *(Le nouveau jeu d'émulation)* est une gravure rehaussée à la main, publiée par John Harris le 20 décembre 1804. Ce jeu comporte de nombreuses allégories relatives au monde familier de l'enfant : un berger avec son troupeau, une école, une église et un évêque, et même un cheval à bascule. Les 66 figures emblématiques sont toutes conçues pour apprendre aux enfants "à s'exercer joyeusement à obtenir un prix honorifique", tout en étant "parfaitement conscients des conséquences de la disgrâce, qui doit être crainte."

69

70

Every Man to his Station *(Chaque homme à sa place)* est un autre jeu utilisant des scènes de la vie quotidienne pour illustrer la morale. Cette gravure peinte à la main a été publiée par Edward Wallis vers 1825.

71

L'illustration centrale s'avère peut-être aujourd'hui, plus intéressante que le jeu lui-même. Elle montre un groupe de garçons jouant au jeu Chaque homme à sa place, *avec un toton, qui était plus convenable que le dé.*

71

70

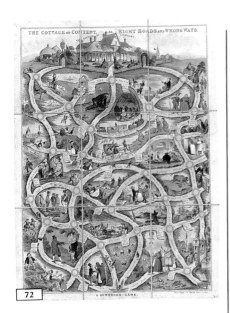

72

Au milieu du XIXᵉ siècle, le nombre de jeux
de morale publiés alla en décroissant, car
leurs méthodes d'enseignement devenaient
démodées. Un jeu très pittoresque était
pourtant une lithographie, éditée par
William Spooner le 1ᵉʳ novembre 1848, qui
incorporait dans son paysage un train, avec
le titre humoristique Rattle Away Road (Bruit
de ferraille sur la route), suggérant ce que
l'on pensait de ce nouveau mode de
transport. Les joueurs lancent un toton
à quatre faces leur indiquant seulement
les mouvements à effectuer : en avant, en
arrière, à gauche ou à droite. Le titre complet
du jeu est La maison de la satisfaction
ou Droit chemin et fausse route. Chaque
chemin a un titre significatif (le chemin du
rire, par exemple, où des garçons rient de
voir un homme au pilori), et les récompenses
et les gages sont indiqués à côté des chemins
(dans cet exemple : "payez 2 pour avoir ri").

73

Deux autres jeux dont l'inventeur,
Thomas Newton, est connu, furent
publiés en 1818 et 1822 par William
Darton. Le plus ancien porte le fameux
titre Vertu récompensée et vice puni.
Il a 33 médaillons, représentant le
bon et le mauvais côté des caractères
humains, et le jeu est conçu pour
l'amusement de la jeunesse "avec le but
de promouvoir l'amélioration progressive
des jeunes esprits et de les dissuader
de suivre les dangereuses voies du vice".

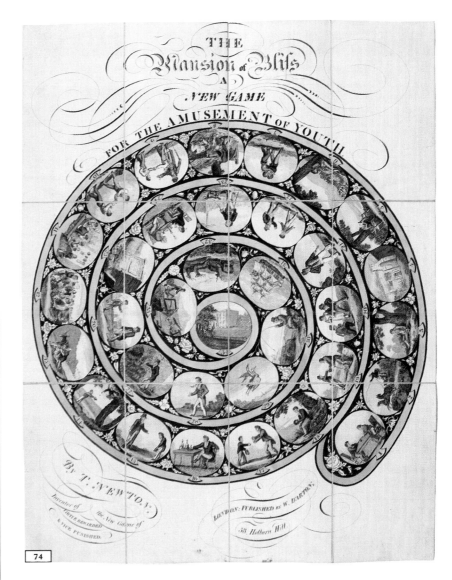

74

74

Le second jeu de Thomas Newton, publié
par William Darton en 1822, est The Mansion
of Bliss (La maison de la félicité). C'est aussi
une gravure à l'eau-forte peinte à la main,
en 12 parties montées sur une toile. On y
retrouve les bons et les mauvais côtés des
caractères humains avec des références au
monde entourant les joueurs, telles que la
prison de Bridewell, qui apparaissait aussi
dans La maison du bonheur de George Fox.
Il est intéressant de noter que les règles
du jeu sont écrites sous forme de quatrains.
De même que Vertu récompensée et vice
puni, La maison de la félicité était conçu pour
l'amusement de la jeunesse, "avec le but de
promouvoir l'amélioration progressive des
jeunes esprits et de les dissuader de suivre
les dangereuses voies du vice".

75

William Spooner publia aussi un jeu
très semblable, qui portait comme titre
Le voyage ou Croisées des chemins pour
le château du conquérant. *Utilisant des
légendes humoristiques et le même format
que* La maison de la satisfaction, *le jeu est
moins moral mais propose des difficultés
que l'on doit surmonter. Par exemple, avant
de passer le long du sentier du taureau fou,
on dit au joueur : "prenez 2 à la cagnotte
pour augmenter votre courage". Le voyage
est une lithographie peinte à la main,
publiée par William Spooner entre 1837
et 1846. L'exemplaire ci-contre est une
réédition du jeu ; l'impression originale
était antérieure à 1836.*

76

Considéré par certains comme étant le jeu
le moins palpitant du genre jamais produit,
dans lequel les pénalités et les récompenses
sont données aussi bien quand on est bon
que lorsqu'on est méchant, voici Willy's
Walk to See Grandmamma (*La promenade
de Willy pour voir grand-maman*), publié par
A. N. Myers en 1869. *C'est une lithographie
peinte à la main sans illustrations. Il n'y a pas
de cagnotte, et toutes les récompenses et
punitions sont obtenues en avançant ou en
passant des tours. Six cases se réfèrent au fait
que Willy accepte des promenades, ce qui
jusqu'ici était une mauvaise conduite, mais
valent de l'avancement dans ce jeu, tandis
qu'offrir une pomme à un pauvre enfant
ou sauver un chien font manquer des tours.*

75

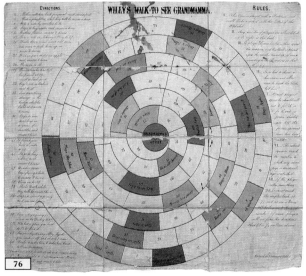

76

77

SERPENTS, ÉCHELLES ET PETITS CHEVAUX

Comme les autres jeux de course, *Snakes and Ladders* (Serpents et échelles) est un jeu familial populaire basé sur le hasard, dans ce cas précis sur le verdict des dés. Dans son concept original, *Serpents et échelles* était un jeu moral, avec des vertus (les échelles) qui permettaient au joueur d'atteindre rapidement le ciel, tandis que les vices (les serpents) forçaient le joueur à redescendre. Les plateaux de jeu, montrant simplement les échelles et les serpents, se faisaient aussi bien en carrés qu'en spirales ; un plateau en spirale fut ainsi breveté par A. N. Ayers en 1892.

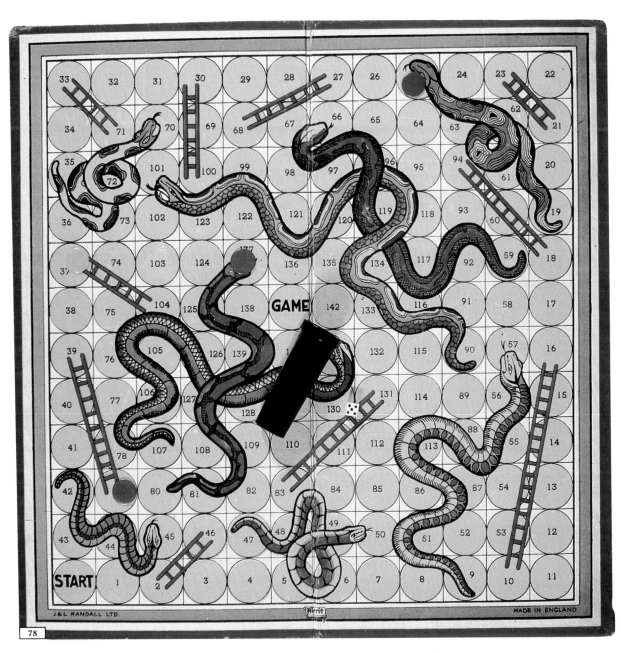

78

77

La boîte de La promenade de Willy pour voir grand-maman, *avec des jetons en faïence.*

78

Cette version de Serpents et échelles *des années 1950 fut éditée par J. & L. Randall Ltd. sous la marque "Merit Games".*

79

Kismet *(le mot signifiant destin, ou fatalité)*, insiste sur le bien et le mal : ce jeu est destiné à montrer à un enfant qu'en étant bon et obéissant, la vie sera généralement plus gratifiante et plus agréable. Publié comme faisant partie de la Globe series of games, et imprimé en Bavière vers 1895, il comporte cent cases, dont certaines sont illustrées, ainsi que treize serpents et huit échelles.

81

Autre exemplaire de Serpents et échelles, conçu pour le marché anglais et imprimé en Bavière vers 1895. Il se finit par un parchemin comprenant les noms de personnalités connues, dont on attend que les joueurs les prennent comme exemples de gens vertueux ou travaillant dur.

80

L'étiquette collée sur le devant du plateau de Kismet est très décorative. Il est intéressant de noter ici que les femmes sont présumées plus vertueuses que les hommes...

82

Le style du jeu Serpents et échelles est repris par un jeu anglais produit dans les années 1920, représentant le fameux vagabond dépeint par Charlie Chaplin. Dans ce jeu, cependant, l'échelle représente la chute vers le bas, au lieu de l'habituelle ascension. Les cases jaunes, contenant étoiles et flèches, sont directionnelles.

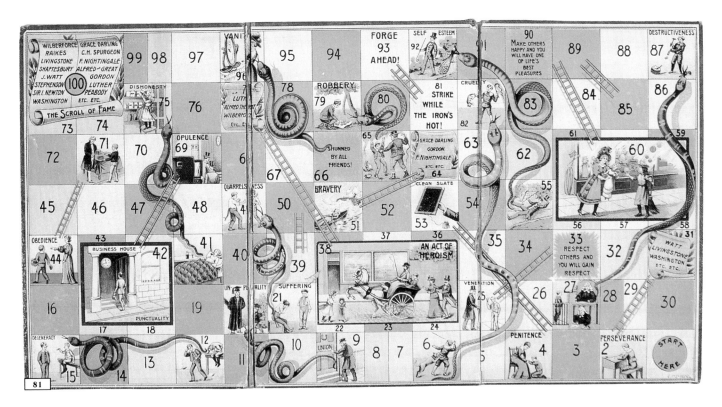

83

Escalades et dégringolades : voici The Greasy Pole *(Le jeu du mât de cocagne), publié en Angleterre au début du xxᵉ siècle. Le lancer des dés et les directions du plateau déterminent ensemble si un joueur doit monter ou descendre. Faire 3, permet à un joueur de monter, alors que faire 1 ou 2 l'oblige à descendre ; les ronds rouges et jaunes permettent de monter, un rond marron signifie "restez où vous êtes car vous êtes essoufflé" et un rond vert entraîne une chute au sol.*

84

L'étiquette de la boîte du Jeu du mât de cocagne *illustre le fait que cette version de* Serpents et échelles *voulait davantage amuser que moraliser.*

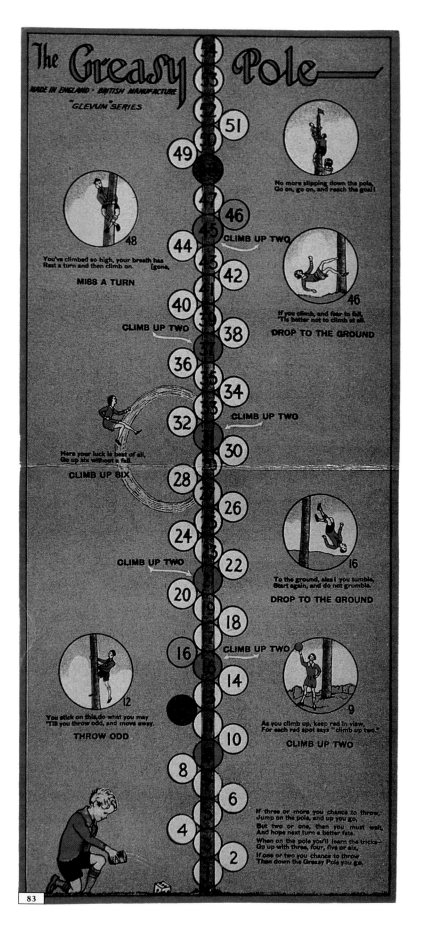

PACHISI ET PETITS CHEVAUX

L'autre jeu de course populaire, c'est *Les petits chevaux*.
C'est souvent l'un des premiers jeux des jeunes enfants, car
il ne nécessite pas de savoir lire et s'apprend très vite. Ce jeu
est une version dérivée de *Pachisi*, jeu national en Inde, qui
fut introduit en Angleterre à la fin du XIXe siècle.

85

Pachisi *se joue habituellement sur un
panneau de tissu en forme de croix, réalisé
en patchwork avec des cotons imprimés de
différentes couleurs. Les modèles de luxe
ont des jetons de cristal, mais d'ordinaire ils
sont en bois. Le jeu se joue souvent avec
deux dés en forme de bâtonnets, mais on
peut aussi utiliser six coquillages, ou cauris :
le nombre d'entre eux retombant du côté de
leur ouverture détermine les déplacements.
Le but pour un joueur est de déplacer ses
quatre jetons sur le plateau, du début à la
fin. Les jetons peuvent être capturés et
revenir au départ, mais douze cases de
repos, indiquées par une couture blanche ou
une autre marque, sont prévues, où il ne
peut rien arriver. Cette version de Pachisi a
été réalisée en Inde durant les années 1970.*

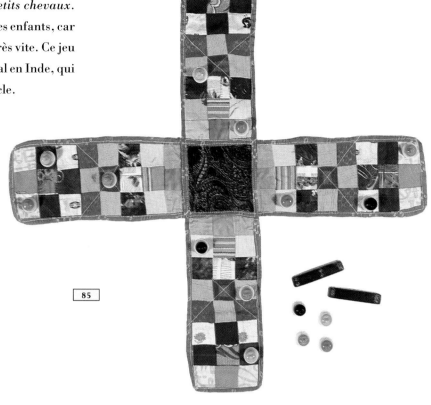

85

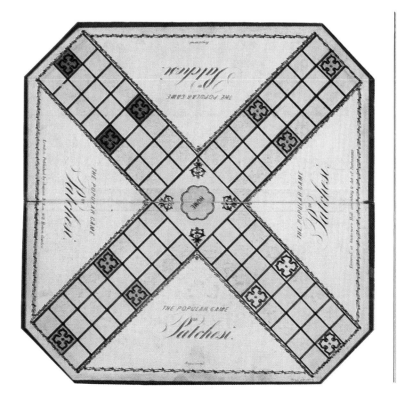

86

86

*Le jeu des Petits chevaux a le même but
que Pachisi, mais il n'y a pas de cases de
repos. Les plateaux européens sont conçus
de façons très différentes. Certains proposent
des croix inscrites dans un octogone, tandis
qu'avec d'autres elles le sont dans un carré.
Le dessin le plus courant, et encore en usage,
est une croix avec des carrés à chaque angle.
The popular Game of Patchesi (Le jeu
populaire de Patchesi) a été publié par
John Jaques & Sons Ltd. La société a
enregistré la marque Patchesi en 1887,
utilisant alors la forme en croix, sur
un plateau en forme d'octogone.*

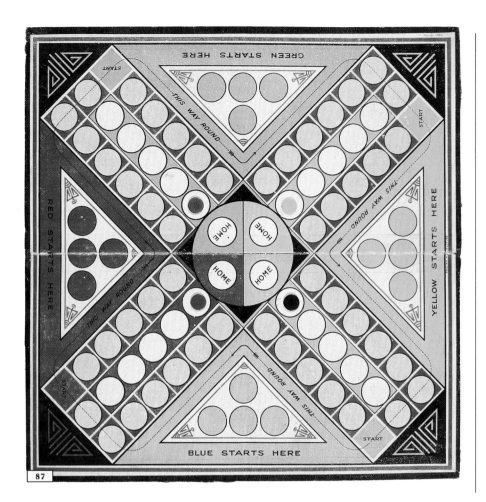

87

Les petits chevaux, jeu toujours populaire
a été publié par Chad Valley Company,
à Birmingham, dans les années 1920.
Ici, la croix s'inscrit dans un plateau carré.

88

Cette édition des Petits chevaux a
été publiée par Berwick Toys dans les
années 1950. Le plateau montre la forme,
aujourd'hui largement acceptée, d'une
croix avec des carrés à chaque angle.

89

La version des Petits chevaux publiée par
Galt Toys en 1983 fut conçue par Barbara
Sampson. Le plateau a gardé la croix et
les carrés, mais il comprend aussi quelques
arbres assez fantaisistes, tels que cerisiers,
orangers, citronniers et pommiers.

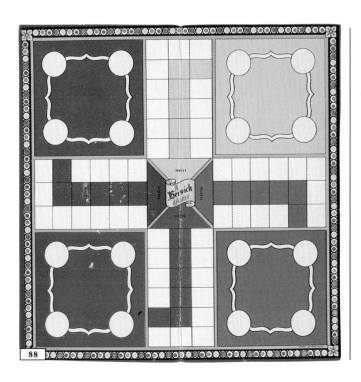

88

89

90

90

Plusieurs variations sur le jeu de base des Petits chevaux *ont vu le jour. Skudo est un jeu tactique de* Petits chevaux *développé dans les années 1960 et publié par John Waddington Ltd. Le plateau a gardé la croix et les carrés, mais quatre cercles mobiles sont ajoutés aux coins. Si un jeton tombe sur la case Skudo, le joueur peut faire tourner le cercle de façon à ce que le jeton puisse passer, ce qui raccourcit la route.*

91

John Waddington Ltd. publia aussi le jeu, Sorry (Désolé) vers la fin des années 1920. Il apparaît dans le catalogue Parker Brothers de 1934 sous la rubrique "le jeu le plus à la mode et le plus vendu d'Angleterre". La finalité reste la même qu'aux Petits chevaux *: déplacer quatre jetons sur le plateau pour arriver au but, mais dans Désolé les déplacements se font en tirant une carte plutôt qu'en lançant les dés. Cet exemplaire date des années 1930.*

92

Tracks *(Traces) a été produit par Galt Toys en 1983. Le jeu se joue comme les* Petits chevaux, *mais il faut collecter les traces faites dans la neige par des gens et des animaux.*

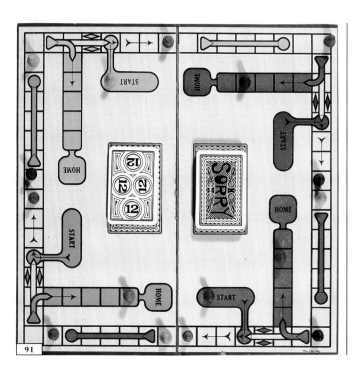

91

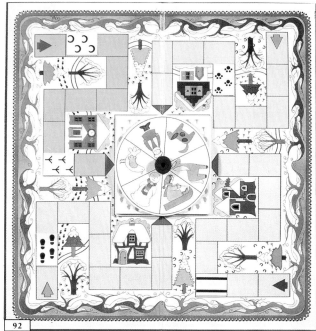

92

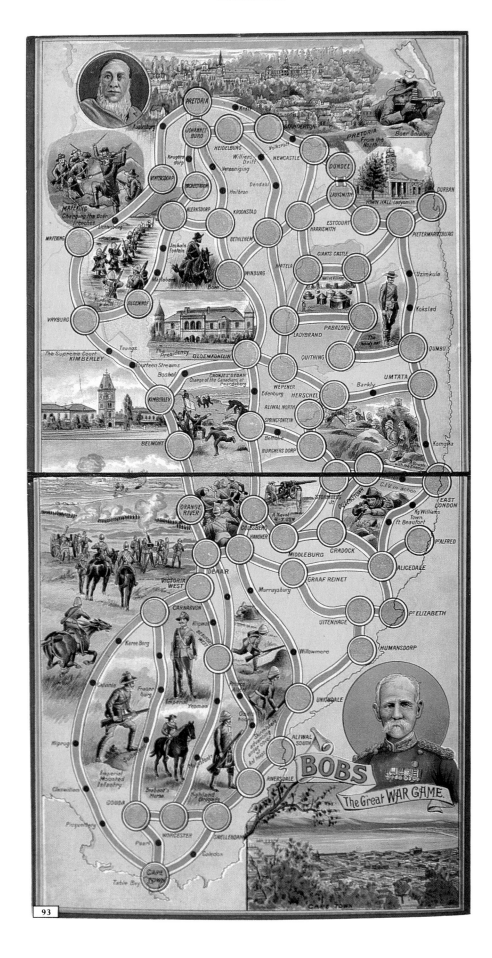

JEUX DE STRATÉGIE

Les jeux pour deux personnes, dans lesquels elles opposent leur esprit et leur intelligence, sont souvent appelés jeux de stratégie. À l'intérieur de ce nom général, cependant, on peut distinguer des types très différents : les jeux de guerre, qui comprennent les échecs ; les jeux de chasse, tels que *Fox and Geese* (Le renard et les oies) et *Halma* ; enfin, les jeux d'alignement, tels que *Nine Men's Morris* (La danse des neuf hommes). Tous peuvent être pratiqués aussi bien par des adultes que par des enfants. Ces jeux ont également été adaptés à la famille, permettant dès lors d'y jouer à plus de deux personnes, même si la structure et la méthode de jeu ont conservé leur dimension stratégique.

94

93

Bob's Great War Game (Bobs, le jeu de la Grande Guerre), publié au début du xxe siècle (voir n° 112).

94

N'importe qui, naturellement, peut jouer aux échecs, et c'est probablement le jeu le plus connu au monde. Les plateaux d'échecs ont été faits en plusieurs tailles, y compris celle pour maison de poupées, et maintenant on peut aussi y jouer avec des ordinateurs. Ce jeu d'échecs est basé sur les personnages du livre de Lewis Carroll, Through the Looking Glass (De l'autre côté du miroir). Les pions comme le plateau en bois peint en figurent les principaux personnages. Le jeu dans son ensemble a été conçu et réalisé par Robin et Nell Dale en 1983.

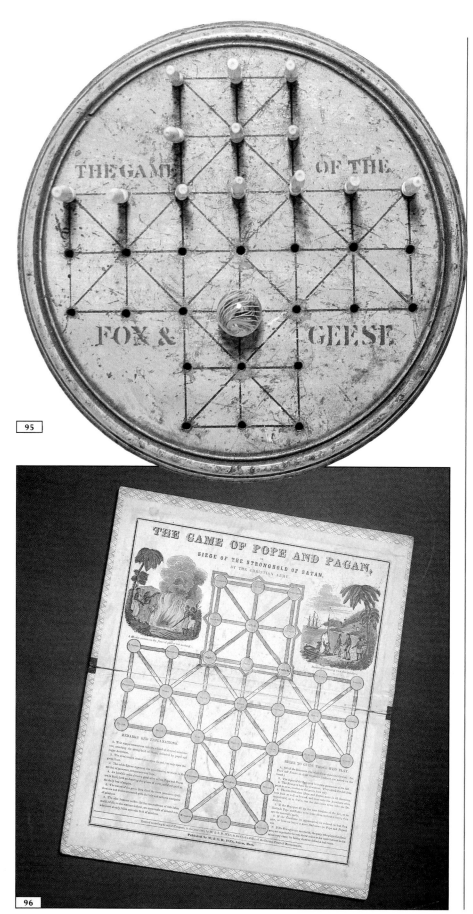

95

96

JEUX DE CHASSE

95

Le renard et les oies *est un jeu de chasse avec des forces déséquilibrées : un joueur avec un pion essaie d'attraper une multitude de pions de son adversaire, pendant que l'adversaire tente d'échapper à la capture et d'entourer le pion seul pour l'immobiliser. Les déplacements que chaque joueur est autorisé à faire régissent le jeu. Cet exemplaire du jeu* Le renard et les oies *se joue sur un plateau en bois avec des oies en os et un renard représenté par une bille en verre. Il a été fait en Angleterre vers 1850.*

96

Aux États-Unis, le jeu Le renard et les oies *fut aussi adapté comme un jeu de querelles religieuses.* Le jeu du pape et du païen *ou* Le siège du fort de Satan par l'armée chrétienne, *de même que* Mahomet et Saladin *ou* La bataille pour la Palestine, *furent tous deux publiés par W. & S. B. Ives, à Salem, dans le Massachusetts. Le jeu montre des illustrations colorées à la main dans les coins supérieurs, avec les règles du jeu dans les coins inférieurs. Les détails de publication sont en bas, indiquant : "Présenté suivant l'art du congrès en 1844 par W. & S. B. Ives, au greffier de la Cour du Massachusetts".* Mahomet et Saladin *fut publié deux ans plus tard, en 1846.*

97

Halma, *distribué en 1888 par A. N. Ayers et publié par de nombreuses sociétés pendant plusieurs années, demande aux joueurs de déplacer tous leurs pions d'un coin du plateau – qui a 256 cases – jusqu'au coin opposé, celui de l'adversaire. Plus de deux joueurs, jouant ordinairement par paires, peuvent jouer à ce jeu, et on peut aussi le jouer comme un jeu de Solitaire. Cet exemplaire fut publié par John Jaques & Sons Ltd. vers 1900.*

98

98

Également publié pour la première fois
en 1888, voici Chivalry the Popular Game
of Skill (Chevalerie, jeu d'adresse populaire).
Le jeu ressemble beaucoup aux Dames,
car les pions de l'adversaire peuvent
être évincés quand ils sont capturés.

99

Chinese Checkers (Dames chinoises), une
adaptation du jeu Halma. Dans les deux
jeux, les pions restent sur le plateau, et le
gagnant est le premier à avoir rangé tous

ses pions dans son coin. Ce plateau en
métal peint avec des billes pour jouer
aux Dames chinoises a été fabriqué aux
États-Unis dans les années 1950.

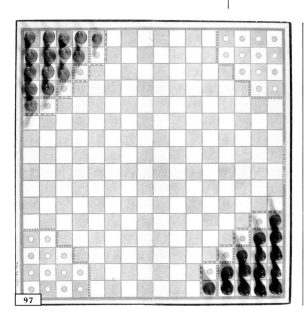

97

99

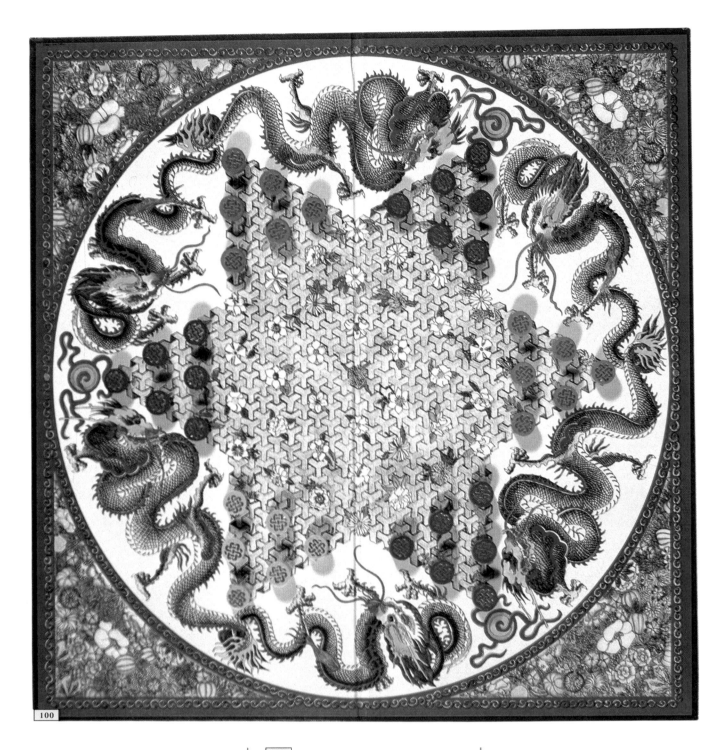

100

100

Second exemple de jeu de Dames chinoises
*fabriqué en Angleterre en 1977 par Just
Games Trading Co., avec un plateau
de bois poli et des billes en verre.*

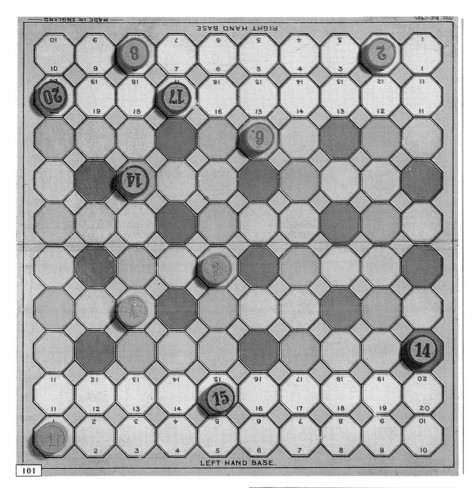

The New Game of Colorito (*Le nouveau jeu de Colorito*) fut publié par Hayford & Sons dans les années 1920. Cette variation du jeu Halma a deux groupes de vingt pions numérotés. Le but du jeu est de les faire passer d'un côté du plateau à l'autre, et dans l'ordre approprié des cases. Tous les pions restent sur le plateau, mais doivent être sur une case de la couleur correspondante.

102

Jeu moderne, sorte de croisement entre le jeu de chasse et le jeu d'alignement, voici Caesar's Game (*Le jeu de César*), conçu en 1984 par Michael Kindred et Malcolm Goldsmith pour Waddingtons Games Ltd. Il se joue avec des colonnes d'or et d'argent, qui figurent la construction d'empires, et des pièces, qui représentent les richesses, sur un plateau marqué avec des cercles et des losanges de couleurs identiques. Le but est d'avancer les colonnes d'une couleur dans une case, vers la partie centrale du plateau. Cependant, on ne peut tenter de se déplacer que s'il y a une pièce d'une autre couleur sur un losange voisin de la colonne et un cercle libre de la même couleur. On peut aussi bouger les pièces pour aider ou gêner les joueurs, et on peut organiser des "pièges" en utilisant les pièces pour bloquer une colonne, qui doit alors être ramenée au point de départ en périphérie.

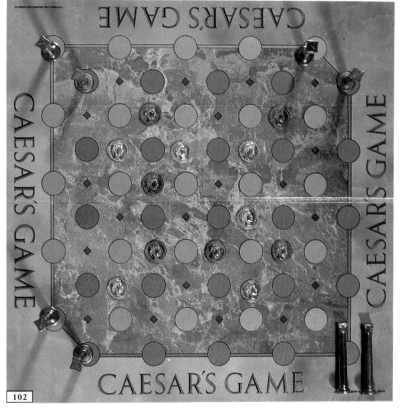

JEUX D'ALIGNEMENT

103

Peg'ity, Spoil Five *et* Quintro *sont trois jeux d'alignement produits dans les années 1920. Ils sont presque identiques, le but étant de réussir une ligne droite de jetons, tout en empêchant les adversaires d'en faire autant. Une grille de trous et des jetons en bois sont fournis, et ces jeux peuvent se jouer jusqu'à quatre joueurs. Les boîtes sont plus attractives que celles des jeux de plateau, et deux d'entre elles montrent des gens en train de jouer.* Peg'ity, *constitué d'un plateau en carton et en bois, était fabriqué aux États-Unis par Parker Brothers.*

103

104

Les différentes guerres du XIXe *siècle dans lesquelles les États-Unis prirent part, y compris la guerre de Sécession, ont servi de base à de nombreux jeux. L'un d'entre eux, simplement appelé* Game of Strategy *(Jeu de stratégie), a été déposé par McLoughlin Brothers en 1891. Il comporte un plateau de jeu sous forme de lithographie en couleurs qui montre le quartier général de la cavalerie au centre, et du matériel de guerre à chaque coin. Il y a 16 jetons noirs et 16 jetons blancs, et un lanceur avec deux flèches. Les lanceurs étaient très utilisés aux États-Unis, alors qu'on utilisait le dé ou le toton dans les jeux européens. On doit rappeler que les trois principaux fabricants de jeux étaient installés sur la côte Est, soit en Nouvelle-Angleterre soit à New York. La guerre de Sécession avait eu un grand impact sur le pays, et de nombreux jeux se référaient à la victoire des troupes nordistes.*

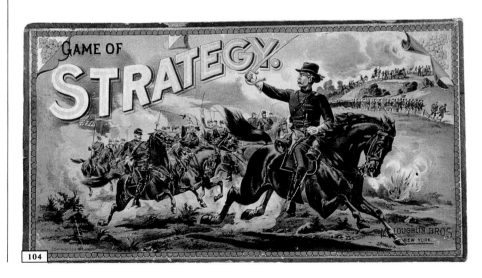

104

105

Spoil Five, *produit par Chad Valley Company, à Birmingham, était un jeu fabriqué en carton et en bois.*

105

106

106

Quintro *était produit par Spear à Enfield, au nord de Londres. Comme* Peg'ity *et* Spoil Five, *il est en carton et en bois.*

107

Check-Lines *est un jeu de plateau en
plastique, fabriqué par Tri-Ang vers 1970.
Il se joue à deux, chacun ayant cinq jetons
en forme de lions ou de licornes. Le but
est de former deux lignes droites avec les
cinq jetons, en empêchant l'adversaire
d'en faire autant.*

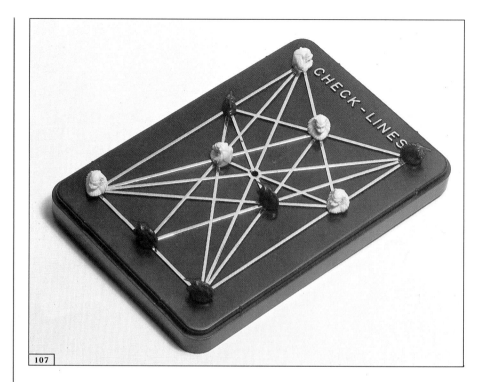

107

108

*Récemment, on a sorti des jeux de stratégie
en trois dimensions basés sur le principe du
Morpion.* Ils testent les capacités des joueurs
*à comprendre des problèmes qui surgissent,
du fait d'avoir à se déplacer dans plusieurs
directions en même temps.* Spacelines, The
3-D Puzzle of the Future *(Lignes dans l'espace,
Le puzzle du futur en trois dimensions) fut
produit dans les années 1980 par Invicta
Plastics. C'est avant tout un jeu de* Morpion.

108

Jeux de stratégie et de guerre

Les forces armées et la guerre ont inspiré de nombreux jeux, peut-être pour continuer la tradition du XVIIIᵉ siècle qui célébrait les exploits du roi et du pays dans les jeux de plateau.

Les jeux de stratégie sont naturellement les plus faciles à transformer en jeux de batailles de tous types. Les soldats devaient ainsi jouer à des jeux durant leur temps libre, créant souvent leurs plateaux avec du papier et un crayon et recréant les victoires fameuses.

109

The Game of Besieging *(Le jeu du siège)* fut publié en Allemagne entre 1800 et 1820. Il utilise le format du jeu Le renard et les oies, *avec des jetons en bois.*

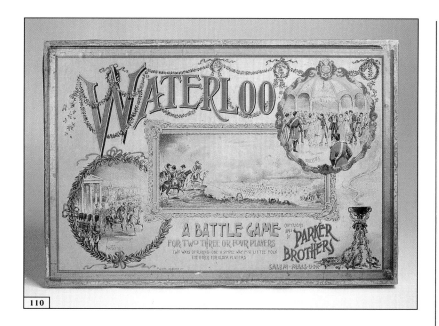

110

111

110

Bien que les États-Unis n'aient pas été impliqués dans la bataille de Waterloo, l'ascension et la chute de Napoléon donnèrent naissance à des jeux intéressants. Prés d'un siècle aprés l'événement, Parker Brother édita en 1895 un jeu simplement nommé Waterloo, a Battle Game for Two, Three or Four Players (Waterloo, jeu de bataille pour deux, trois ou quatre joueurs). L'étiquette de la boîte montre trois scènes : Napoléon à Paris en 1815, un bal à Bruxelles, et le centre dédié à la bataille elle-même, regardée par Napoléon. Le plateau est entrecroisé de lignes rouges et de points blancs, avec dans chaque coin une ville (Paris, Versailles, Bruxelles et Namur) et, dans la zone centrale, les villes de Quatre-Bras et Charleroi. Il y a deux façons d'y jouer, la première assez simple pour les jeunes enfants, et la seconde plus complexe réservée aux enfants plus âgés et aux adultes. Il est semblable au jeu de la Guerre des Boers, appelé Bobs.

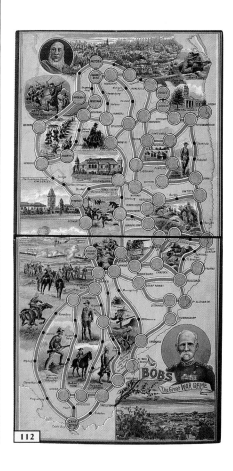

112

111

A New Game of Russia v Turkey (*Nouveau jeu de la Russie contre la Turquie*) lithographie peinte à la main, publiée vers 1853 par J. A. Reeves.

112

Les conflits de la fin du XIXᵉ siècle ont produit plusieurs héros nationaux en Angleterre, les plus célèbres étant Lord Kitchener et Lord Roberts. Des jeux basés sur leurs exploits apparurent aussitôt. Bobs, le jeu de la Grande Guerre, se rapporte à la guerre des Boers ; c'est un jeu de stratégie dans lequel les deux joueurs essaient d'atteindre leur but tout en retardant l'avancée de leur adversaire. Ce jeu faisait partie de la Globe Series of Games, publiée entre 1900 et 1910.

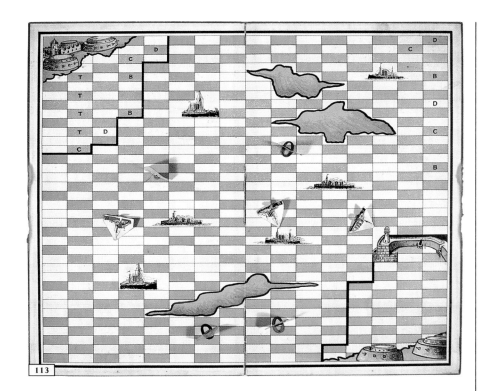

113

113

De nombreux jeux se sont inspirés de Halma. Publié par Mead & Field Ltd., de Londres, peu avant que n'éclate la Première Guerre mondiale, Transports a pour but le déplacement de cargaisons sous pavillon rouge d'un port sûr à un autre, sous la protection de cuirassés, de contre-torpilleurs et de croiseurs. L'ennemi, la flotte noire, essaie de capturer les transports du côté rouge. Des règles régissent le déplacement de chaque bateau, et il y a un certain nombre d'îles que l'on doit éviter, tandis que la flotte noire n'a pas le droit de pénétrer dans les ports. Le jeu est gagné ou perdu suivant le succès des transports.

114

Sink The Submarine (*Couler le sous-marin*), également publié aux environs de la Première Guerre mondiale, est un jeu de course, avec toutes les directions de jeu écrites sur les cases illustrées. Ce jeu ne possède ni marque ni nom de fabricant, et l'éditeur reste inconnu.

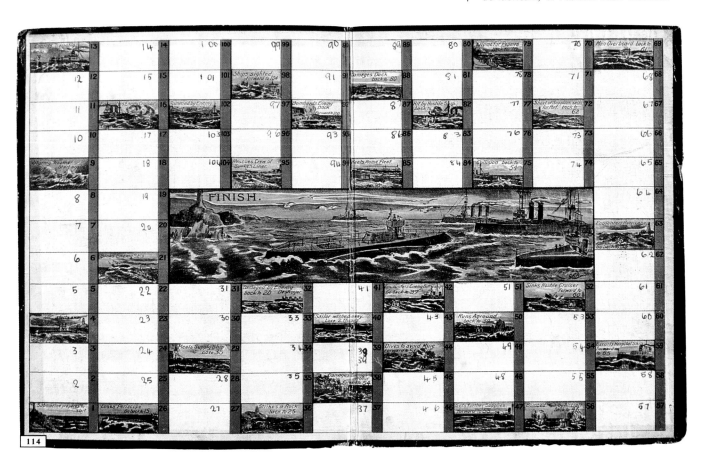

114

115

115

Après la guerre, H. P. Gibson & Sons Ltd. sortit quatre jeux de stratégie, dont trois sont du type de Halma. L'Attaque, fameux jeu de tactique militaire fut conçu en France, et met en scène les forces britanniques et françaises. On peut voir ici le plateau de jeu.

116

Couvercle de la boîte Dover Patrol of Naval Tactics (La patrouille de Douvres ou Tactique navale). Le plateau de jeu ressemble à celui de L'attaque. Ce jeu a pour but la capture du drapeau ennemi.

116

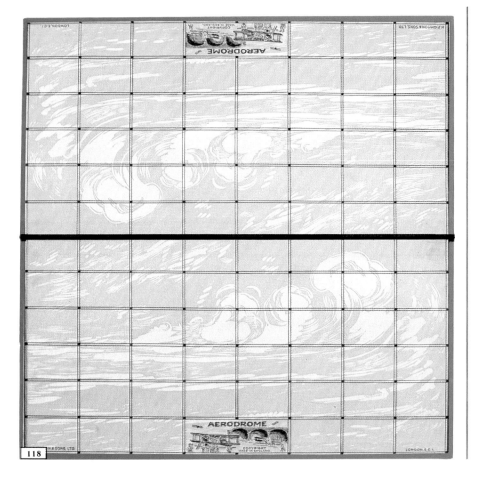

117

Aviation *est un jeu de tactique aérienne,
d'attaque et de défense. On voit ici le
couvercle de la boîte.*

118

*Le quatrième jeu publié par H. P. Gibson & Sons
Ltd.,* The New Game of Jutland *(Le nouveau
jeu du Jutland), se jouait plutôt comme le
Morpion, à ceci près que les adversaires ne
pouvaient voir leurs déplacements. Les quatre
jeux furent réédités pendant de longues années.*

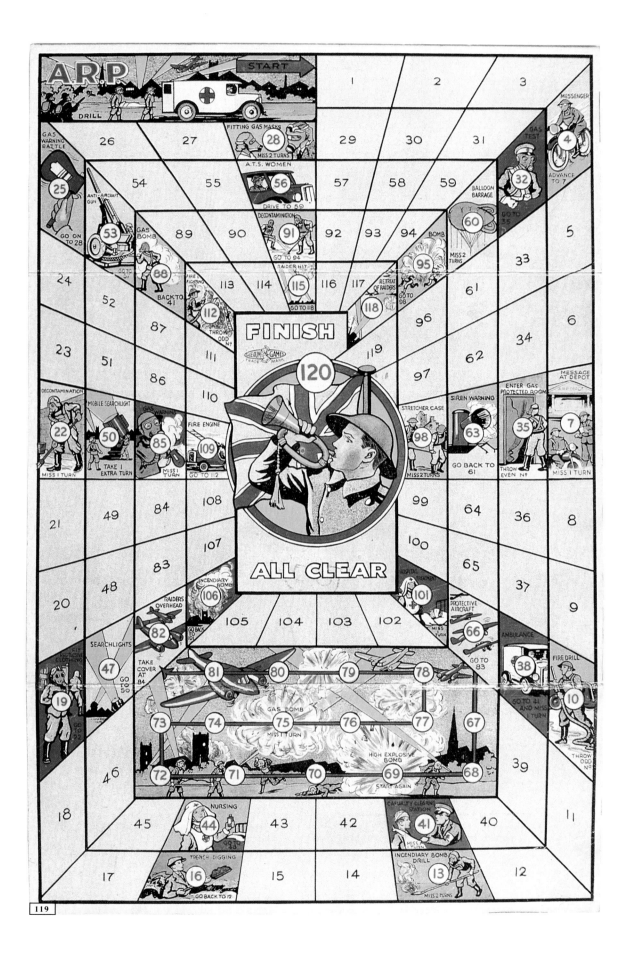

La Seconde Guerre mondiale entraîna la création de nombreux jeux, certains amusants et d'autres éducatifs. A.R.P. est comme un jeu de course normal, avec des récompenses et des punitions, mais il évoque les activités et les dangers rencontrés pendant les années de guerre ; il est inspiré par les mesures de prévention en cas de raid aérien, nécessaires à l'époque.

Un autre jeu de course issu de la Seconde Guerre mondiale, et prétendant, dans ses instructions, être un équivalent de Serpents et échelles : c'est Annie Wants her Stripes (Annie veut ses galons). Certains conflits plus récents ont été représentés sous forme de jouets mais n'ont pas été repris comme jeux de société.

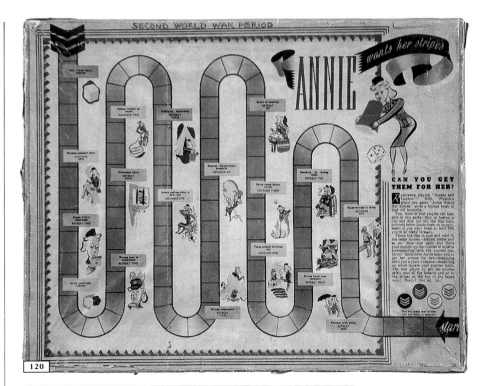

Tous les jeux de guerre ne sont pas des jeux de plateau ; il y a aussi des jeux de cartes et d'adresse. Trench Football (Le football des tranchées), qui porte l'impressionnant sous-titre : "Grand jeu international fait par les fabricants du sensationnel jeu de guerre The Silver Bullet (La balle d'argent)", prend la forme d'une boîte en bois avec un couvercle en verre. La surface de jeu est couverte de rainures le long desquelles apparaissent des trous, portant des noms de chefs allemands. Le but est de déplacer une bille métallique le long des rainures sans qu'elle tombe dans un trou.

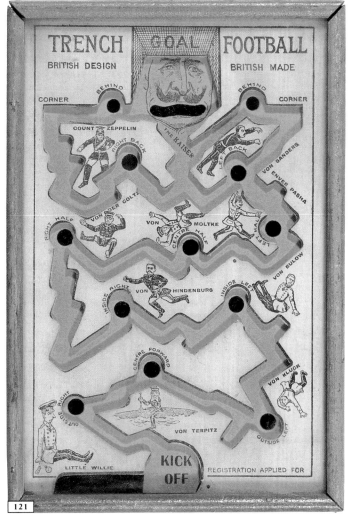

79

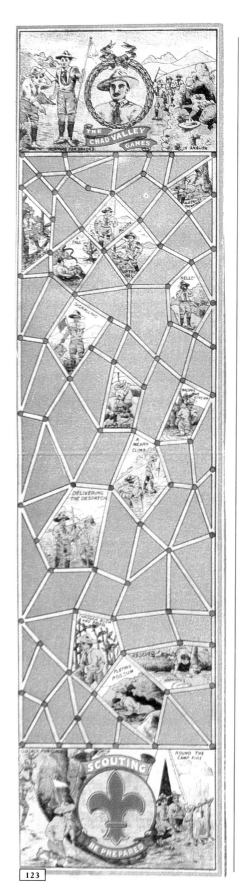

123

122

122

England Expects, the Great Naval Card Game
(*L'Angleterre attend, Grand jeu de cartes naval*),
*publié vers 1940 avec 44 cartes, fut dessiné avec
l'aide de Francis E. Mc Murtrie, l'éditeur des* Jane's
Fighting ships *(Bateaux de combat des Janettes).*

124

JEUX ET SPORTS

Les activités sportives ont inspiré de nombreux jeux, spécialement au XXe siècle, même si la plupart d'entre eux suivent la présentation déjà observée chez les précédents. Les courses de chevaux, en particulier le steeple-chase, ont cependant donné naissance à une nouvelle sorte de plateau. Ce dernier, souvent plié en deux endroits plutôt qu'en un seul, est plus long. La surface de jeu forme une piste aux compartiments souvent étroits et peu décorés, tandis que le plateau lui-même est orné de scènes représentant généralement l'univers d'une course sportive. Les règles du jeu sont encore basées sur les punitions et les récompenses, avec des tours que l'on passe et des joueurs qui vont en avant ou en arrière, comme indiqué.

125

Cet exemplaire de Steeple-Chase est une lithographie peinte à la main, publiée par Watilliaux, de Paris, vers 1860. Les cases sont numérotées de 1 à 100, et le jeu a cinq obstacles, avec une chute du cavalier et du cheval au second. L'illustration centrale et celles autour du bord du plateau dépeignent les émotions et les chutes associées aux courses.

123

Deux jeux, que l'on peut sans doute considérer comme servant de pont entre les jeux à base militaire et les autres, sont dédiés au mouvement scout. L'un est un jeu de stratégie, l'autre un jeu de course, mais les deux ont été édités par Chad Valley comme faisant partie de la collection Boy's Own (Jeux de garçon) qui comprenait aussi Serpents et échelles, des courses autour du monde et à travers le Canada, et nombre de jeux de table, tels qu'un Blow Football (Football). Scouting est un jeu du même genre que Le renard et les oies, conçu pour deux à six joueurs. Le but est pour un joueur (le messager) de prendre des papiers à l'officier, en haut du plateau, pour les apporter au camp en bas, puis de revenir sans être capturé ou encerclé par la patrouille adverse.

124

Scouting Tests (Examens de scouts) est un jeu de course, qui commence à l'enrôlement et se déplace sur la droite. Accompagnant le jeu, il y a des épreuves de cartes et d'insignes, qui déterminent les récompenses et les punitions, et celles-ci peuvent être payées par des examens surprise et des inspections. Le gagnant est celui qui atteint la présentation de l'insigne du loup d'argent, qui est la case juste à gauche de l'enrôlement.

125

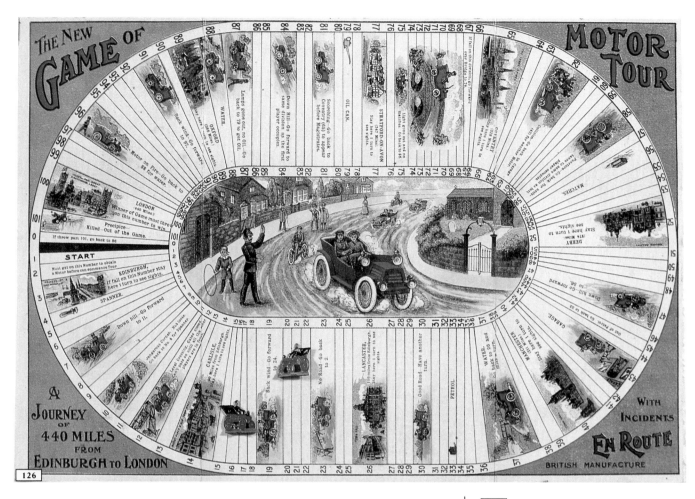

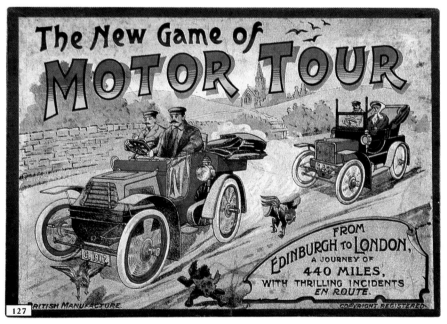

126

Le format du steeple-chase, tout en continuant d'illustrer des courses de chevaux, fut adapté à d'autres types de courses : autos, lévriers ou motos. Parfois les plateaux sont très décorés, parfois non, mais tous essaient de montrer les périls de ces sports souvent très dangereux. Dans The New Game of Motor Tour (Nouveau jeu de circuit automobile), le plateau est numéroté de 1 (la case départ) à 100 (Londres), avec 101 et 0 après 100. Le gagnant est le joueur qui tombe sur 100 ; si un joueur tombe sur 101, il doit quitter le jeu, car on le considère comme tombé dans un précipice et tué. Si le lancer de dé place le joueur à 0 ou au-delà, il doit retourner à la case 86. Le jeu fut sans doute publié par Chad Valley Company, à Birmingham, vers 1912.

127

Boîte de The New Game of Motor Tour (Nouveau jeu de circuit automobile), sous-titré "D'Édimbourg à Londres, voyage de 440 miles avec des périls en route".

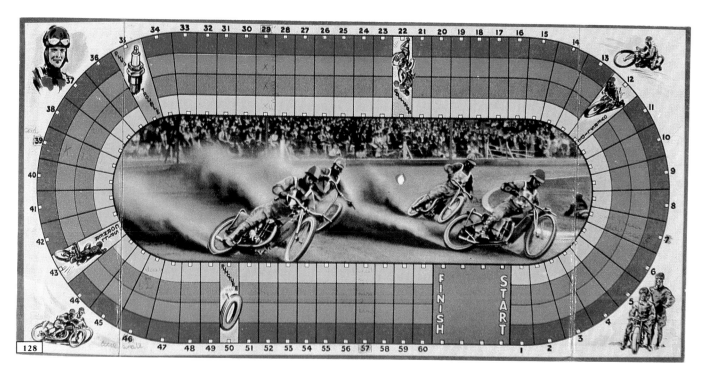

128

128

Motor Cycle Racing *(Course de motos)*,
qui essaie de montrer tous les périls de ce
sport plutôt bruyant, reste un jeu de plateau
d'intérieur assez calme. Conçu pour quatre
joueurs, il fait partie d'une série de jeux. Au
centre du circuit, une illustration moderne
montre une trépidante course de motos.

129

*Semblable en apparence, La course de
lévriers est en fait jouée d'une façon un
peu différente, car on peut avancer le lièvre
sur son propre chemin en même temps
que les chiens. On joue avec deux dés de
différentes tailles ; le plus petit détermine
les déplacements du lièvre, le plus grand
ceux des chiens. Les chiens sont déplacés
individuellement par les joueurs quand leur
tour arrive, mais le lièvre bouge à chaque*

*lancer de dé. Pour gagner, un chien doit être
sur la même ligne que le lièvre, ou passer la
ligne d'arrivée ; mais les chiens ne peuvent
dépasser le lièvre : si cela se produit,
ils passent leur tour. Perdre un tour est aussi
la pénalité si un chien tombe sur une case
déjà occupée, car on suppose que cela
occasionne une bagarre. Le jeu, publié
avec la série Glevum dans les années 1930,
était fabriqué par Britains Ltd.*

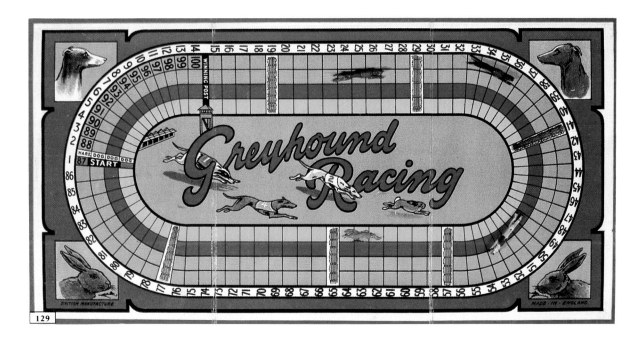

129

130

130

Le football a inspiré plusieurs jeux, de même que le football américain, le golf et le cricket. Certains sont conçus juste pour l'amusement, tandis que d'autres visent à développer des capacités telles que la dextérité et le calcul rapide. Soccatelle est un flipper en bois. En bas, deux ressorts représentent le tireur et le gardien de but. Le jeu a été publié par Chad Valley dans les années 1920.

131

Goal, The Soccer Card Game (But, le jeu de cartes du football) a été publié vers 1965. Il comprend 44 cartes qui se réfèrent à des actions. Les illustrations montrent les équipes anglaises, leurs emblèmes et les positions de jeu.

131

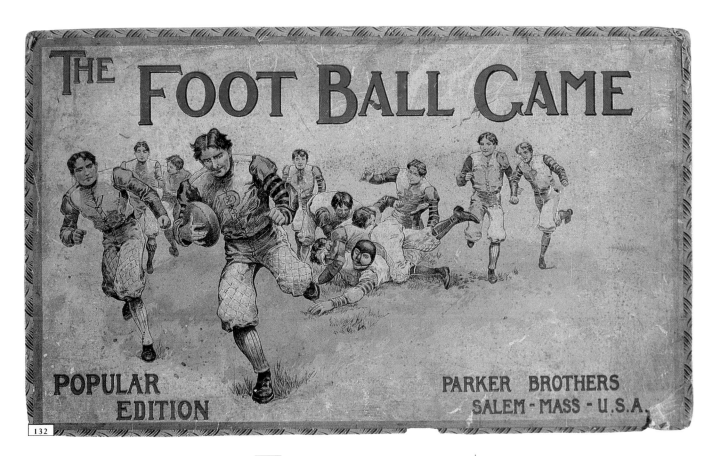

132

132

Boîte de The Football Game (Le jeu de football), publié par Parker Brothers, à Salem, dans le Massachusetts, vers 1910. Avec le jeu, on trouve un lanceur en carton, avec deux cercles. Le cercle extérieur dirige les déplacements, et celui de l'intérieur indique de combien de mètres doit avancer la balle.

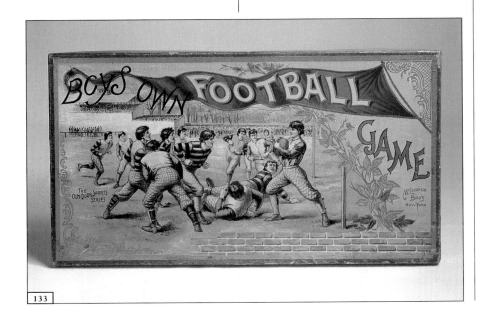

133

133

McLoughin Brothers publia aussi un jeu basé sur le football : Boy's Own Football Game (Jeu de football pour garçons). Produit en 1901, il fait partie de la série des sports d'extérieur. Comme le font d'autres éditeurs américains de l'époque, McLoughin Brothers utilise l'intérieur du couvercle de la boîte comme plateau de jeu, ce qui réduit le coût de fabrication, car le plateau ancien n'est plus nécessaire, la boîte servant au jeu lui-même et faisant office d'espace de rangement des diverses pièces.

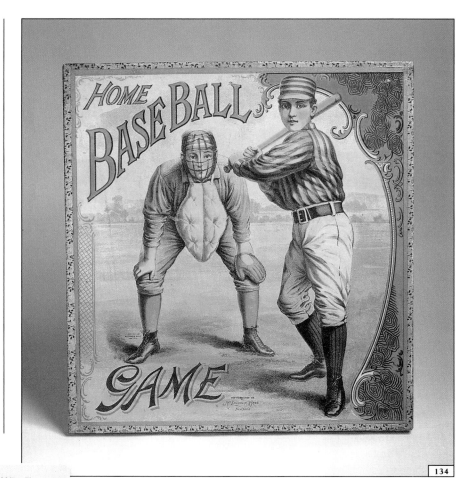

134

Cette méthode fut aussi utilisée par McLoughin Brothers pour Home Baseball Game *(Jeu d'intérieur de base-ball), basé sur le sport américain si fameux. McLoughin Brothers en déposa les droits en 1890.*

134

135

135

Des jeux populaires, inspirés de ceux que l'on trouvait dans les pubs, ont souvent été adaptés comme jeux pour enfants, par exemple les fléchettes ou le palet de table. Dartex est un jeu de cartes qui, à en juger par les illustrations plutôt sophistiquées, est plus destiné aux adultes qu'aux enfants, même si chacun peut y jouer. Nul doute que les enfants puissent tout de même s'y exercer à additionner et à soustraire ! Dartex, The Thrilling New Card Game of Skill *(Dartex, le sensationnel nouveau jeu de cartes et d'adresse), fut publié par R. L. Smith, de Cranleigh, en 1938. Parmi les cartes, trente-huit montrent un jeu de fléchettes et un nombre, tandis que quinze autres sont illustrées et comportent des instructions.*

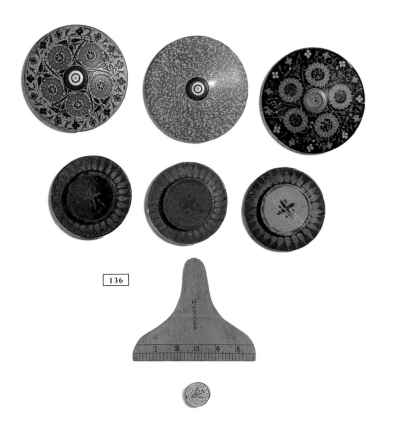

136

136

Squails, *joué sur un tapis de table, est une combinaison du jeu de palet et du jeu de boules. D'abord, un cochonnet est envoyé d'une chiquenaude sur le tapis, puis les disques. Ceux qui sont le plus proches du cochonnet ont gagné le jeu. On voit ici des éléments en bois peint de deux jeux de Squails ainsi qu'un dispositif de mesure appelé* "swoggle". *Les plus petits disques ont été fabriqués en Angleterre par John Jaques & Sons Ltd. après 1884 ; les plus grands ont été réalisés en Inde à peu près à la même époque.*

137

Tous les jeux avec un thème sportif ne représentent pas forcément un jeu officiel ; certains montrent des activités ludiques telles que la luge. The Game of Toboganning *(Le jeu de la luge) fut publié par Chad Valley dans les années 1930. Les joueurs peuvent profiter de tous les plaisirs et chutes des jeux dans la neige.*

137

Dolphin.

Vol II. page 9

Pub.ᵈ Oct 3. 1801 by J Marshall Nº 4 Aldermary Church Yard

CARTES ET JEUX DE CARTES

Les origines des jeux de cartes sont entourées de mystère. On pense qu'ils sont apparus en Chine pendant la dynastie Tang (618-907), mais les cartes ne furent pas introduites en Europe avant le XIVᵉ siècle.

Il faut encore attendre la seconde moitié du XVIIIᵉ siècle pour voir apparaître des cartes spécialement conçues pour l'amusement et l'éducation des enfants. Celles-ci mettaient davantage l'accent sur l'aspect pictural que numérique : leurs valets, reines et rois nous sont familiers aujourd'hui. Ces premiers jeux de cartes furent produits, en utilisant les mêmes méthodes d'impression et de couleur, par des éditeurs connus de jeux pour enfants, tels que John Wallis.

Certains des jeux de cartes qui ont survécu sont complets et bien documentés, comportant le nom de l'éditeur, la date de publication et la règle du jeu. Tous ne nous sont pas parvenus ainsi, et néanmoins, même chez les plus lacunaires, on peut toujours deviner, d'après la nature du dessin, de quelle sorte de jeu il s'agit.

Une large variété de jeux a été produite au fil des années, le plus connu étant *Les sept familles*. On utilisait aussi les cartes pour raconter des contes de fées, pour des jeux de questions et réponses sur des sujets très variés, pour illustrer l'histoire naturelle ou la géographie, et même pour apprendre les langues étrangères.

Bien que n'étant pas strictement des jeux de cartes, certains s'en approchent par leur valeur éducative. Cela comprend des jeux de lettres comme le *Scrabble*, ou d'autres encore, cousins des jeux de cartes, comme le loto, qui sont en fait des jeux de hasard. Le *Scrabble*, le *Shake spell* (Lettres en vrac), et tous les premiers jeux d'alphabet comportent des lettres sur de petits blocs ronds ou carrés. On utilise ces lettres pour apprendre l'alphabet et créer des mots. Le *Scrabble* et le *Shake spell* présentent le nouvel avantage d'incorporer de nombreux exemplaires des lettres les plus fréquemment utilisées. Les jeux d'alphabet étaient traditionnellement en os, et souvent joliment décorés.

CARTES ET ÉDUCATION

De nombreux sujets étaient enseignés par les cartes. Tous les ensembles de cartes ne sont pas forcément des jeux, certains étant de simples illustrations, par exemple sur des sujets d'histoire naturelle, bien qu'il soient accompagnés d'un livret décrivant chaque illustration. Malheureusement, les dessins ne sont pas toujours conformes à la réalité, révélant souvent malgrés eux l'ignorance de l'artiste sur le thème décrit.

138
The Infant's Cabinet of Fishes *(Le catalogue de poissons des petits enfants)* est un jeu de 27 cartes accompagné d'un livret, avec des eaux-fortes peintes à la main, publié par John

Marshall le 3 octobre 1801. Une illustration, celle du dauphin, nous paraît aujourd'hui un peu grossière, mais la description qui l'accompagne dit : "La principale beauté de ce poisson réside dans la brillance de ses couleurs."

139

The Good Child's Cabinet of Natural History
(*L'album d'histoire naturelle du bon enfant,
enrichi de 32 belles gravures, volume I :
animaux), incluant un texte descriptif sur
chaque carte. Publié par John Wallis le
4 janvier 1813, ce jeu de 32 cartes est
contenu dans un coffret en bois, avec
un couvercle décoré d'un palmier et
d'une antilope. Les détails donnés sur
certains animaux plus que sommaires,
comme cette affiliation du rhinocéros et
de la licorne. On dit du zèbre qu'il dépasse
tous les autres en rapidité, et des loups qu'ils
"étaient jadis très courants dans le pays ;
mais heureusement ils ont été délogés".
La carte montrée ici, celle du rhinocéros,
est une gravure peinte à la main.*

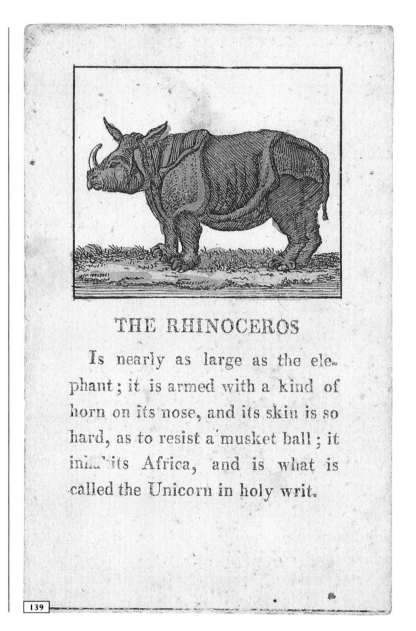

THE RHINOCEROS

Is nearly as large as the elephant ; it is armed with a kind of
horn on its nose, and its skin is so
hard, as to resist a musket ball ; it
inhabits Africa, and is what is
called the Unicorn in holy writ.

139

PEACOCK

140

140

*Publié vers 1850, voici un jeu appelé
Grandmamma's New Game of Natural History
(Nouveau jeu d'histoire naturelle de grand-
maman). Il comprend deux parties : la première
avec des personnages de contes de fées et des
cartes assorties, tandis que la deuxième compte
36 cartes montrant des animaux et des oiseaux,
avec des descriptions en quatrains. La carte
du faisan est une gravure peinte à la main.*

JEUX DE CARTES ÉDUCATIFS

Les jeux de cartes en usage de la fin du XVIIIe siècle jusqu'à l'apparition des *Sept familles*, vers 1860, avaient bien entendu des règles distinctes, mais la plupart étaient des jeux de pénalités.

Dans les jeux les plus simples, toutes les cartes sont distribuées et un joueur est choisi comme meneur. Il pose une question à chacun des joueurs ; la bonne réponse est récompensée par un jeton de la cagnotte, la mauvaise oblige le joueur à renflouer la cagnotte. Les questions sont de culture générale ; par exemple, en géographie, il faut savoir retrouver le pays ou la région d'une ville, d'une rivière ou d'une montagne, ou encore indiquer quelle en est la spécialité. Dans l'ensemble, les cartes sont numérotées des deux côtés, ce qui permet de les retourner jusqu'à ce qu'un des joueurs n'ait plus de cartes et gagne. Avec ce système, quand un joueur donne une mauvaise réponse, le suivant commence par sa carte la plus basse.

La majorité des jeux de ce type se réfèrent à des thèmes historiques ou géographiques, mais certains font appel aux connaissances linguistiques ou grammaticales. *The Geography of England and Wales, Accurately Delineated* (La géographie précise de l'Angleterre et du pays de Galles) fut publiée par John Wallis le 26 septembre 1799, et imprimée par James Harrison, de Warwick Court, à Londres. Le jeu comprend 52 cartes numérotées, chacune représentant une région d'Angleterre ou du pays de Galles, ses frontières,

ses villes principales, ses productions et les caractéristiques générales. Un additif aux règles précise : "Ce jeu n'est pas seulement instructif, mais aussi amusant et plaisant." Édité au début de la révolution industrielle, il montre le passage d'une société agricole à une société mécaniste. Les listes des fabriques ainsi que les descriptions de la campagne ont dû être une révélation pour beaucoup.

Publié cinq ans plus tard par John Harris, *A New and Compendious System of Geography on Cards* (Nouveau système concis de géographie par les cartes) montre les pays du monde. Le jeu a 56 cartes, sur lesquelles on donne des détails, plus une carte, sur laquelle sont expliqués les termes géographiques employés. En même temps que les cartes, le jeu comprend un livret de huit pages, décrivant les bienfaits éducatifs des cartes ; ses dernières phrases résument l'approche des adultes quant à l'enseignement des enfants dans les premières années du XIXe siècle :

"L'expérience, toutefois, montre que les enfants sont très tôt capables de faire de considérables progrès dans cette science qui demande principalement bon sens et mémoire. Toute personne avisée considérera comme un sujet de grande importance de leur donner une connaissance précoce des mots et des choses, et spécialement de les initier dans ces études qui tendent à gratifier leur curiosité naturelle, à ouvrir et enrichir l'entendement, à promouvoir l'esprit de recherche et à inspirer l'amour de la connaissance."

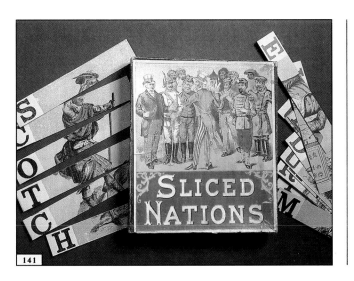

141

Jeu de cartes américain, combinant orthographe et géographie, publié vers 1890 par Selchow & Righter, à New York, avec le titre bien choisi de Sliced Nations *(Nations en tranches). Chacune des cartes allongées porte une lettre de l'alphabet et une partie d'une illustration. Le but est de réunir toutes les cartes d'une nationalité et d'en faire un ensemble. On peut maintenant penser que les illustrations n'étaient pas appropriées, peut-être même dégradantes, mais à l'époque de la publication, ce n'était pas l'intention du jeu, qui était considéré comme très convenable.*

30

92. Name some of the eminent men who died in this reign.

92. *The Marquis of Londonderry, Lord Byron, the Duke of York, George Canning, and Sir Thomas Lawrence.*

93. What are the names of four fascinating poets whose works are so generally admired?

93. *Sir Walter Scott, Thomas Moore, Lord Byron, and Robert Southey.*

1831 to 1837.

94. William IV. ascended the throne on the death of his royal brother, Whom did he marry?

94. *Adelaide of Saxe-Meiningen, in 1818.*

95. The Queen of William IV. having survived him, what was her title?

95. *Queen Dowager.*

96. A very important Bill passed both houses of Parliament, and received the royal assent; What is the name of it?

96. *The Reform Bill.*

31

1837.

97. Victoria, on the death of her uncle, William IV., ascended the throne, What was her late father's title?

97. *Duke of Kent.*

98. At what age did Queen Victoria ascend the throne?

98. *In her nineteenth year.*

99. When was the Queen married?

99. *On the 10th of February,* 1840.

100. To whom was the Queen married?

100. *Her cousin, Prince Albert of Saxe-Coburg-Gotha.*

Stevens & Co., Printers, Bell Yard, Fleet Street.

VICTORIA. BRUNSWICK.

Began to reign 1837.
Born 1819.
Whom God preserve!

Duke of Kent.

In her nineteenth year.

On the 10th of February, 1840.

Her cousin, Prince Albert, of Saxe Coburg Gotha.

142

142

Les jeux avec des rois et des reines étaient
toujours très appréciés, surtout des adultes.
Historical Amusement – A New Game
(Amusements historiques – un jeu nouveau),
fut publié par Nicholas Carpenter en 1844.
Il comporte un livret, 36 grandes cartes avec
des portraits de souverains en médaillon,
de Guillaume Ier à la reine Victoria, et cent
petites cartes avec les réponses. Dans ce
jeu les joueurs doivent réunir les petites
cartes, relatives aux plus grandes, lesquelles
donnent en fait les réponses aux questions
posées dans le livret (ce dernier contient
aussi les réponses). Le dernier ensemble
concerne la reine Victoria (questions 97
à 100). Les cartes illustrées sont des
gravures peintes à la main, mais
les petites cartes sont imprimées.

143

Dans les années 1870, John Jaques publia un
groupe de trois jeux de cartes couvrant aussi
les règnes des souverains britanniques,
de Guillaume Ier à la reine Victoria. Chacun
portait le titre plutôt étrange de Game of Hide
and Seek with Kings and Queens of England
(Jeu de cache-cache avec les rois et les reines
d'Angleterre). Le jeu se jouait de la même
manière que Les régions d'Angleterre (page 98),
les joueurs tentant de réunir les cartes qui
accompagnaient l'illustration principale pour
créer des ensembles ou des plis. Le joueur qui
avait le plus de plis gagnait. Les cartes relatives
à Henri VIII et à la reine Anne étaient des
lithographies peintes à la main, avec les textes
imprimés. La carte principale désignait les
événements importants et les personnages
associés aux vies des souverains ; on en trouvait
la liste sur les cartes supplémentaires. Quelques
groupes étaient plus importants que d'autres,
le plus conséquent ayant un total de sept cartes.

144

Les Présidents américains n'échappèrent pas à
la règle. Game of Columbia's Presidents (Le jeu
des Présidents des États-Unis) était conçu pour
enseigner les noms et les dates de chacun.
Les cartes portent un portrait de l'homme,
ses dates, sa signature et les noms des
personnes qui lui sont proches. Le président
Grant, général pendant la guerre de Sécession,
est représenté sur la couverture. McLoughlin
Brothers publia ce jeu de cartes en 1890.

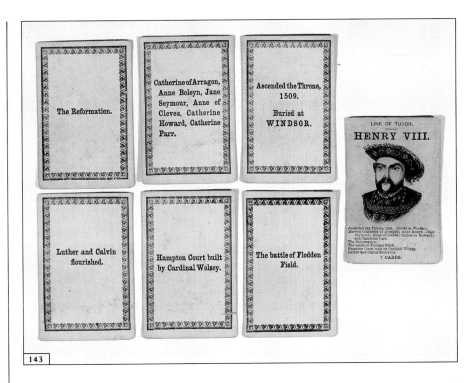

143

144

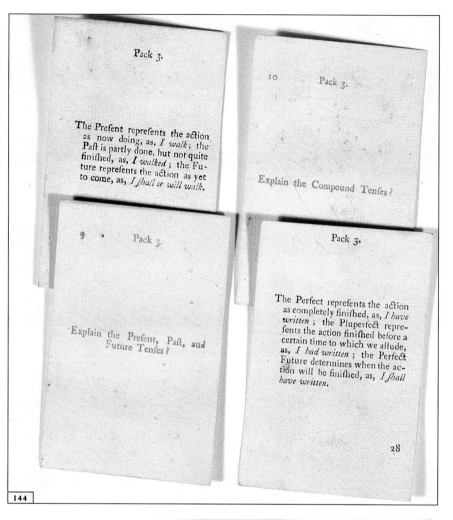

144

L'apprentissage des langues, et pas seulement de l'anglais, n'était pas traité de la même façon que les sujets d'histoire et de géographie. La grammaire anglaise était enseignée par Grammatical Conversations (Conversations grammaticales) ou English Grammar Familiarised (Grammaire anglaise familière). Dans ces jeux, les cartes sont de deux sortes : certaines comportent les questions, d'autres les réponses. Les cartes réponses sont distribuées, tandis qu'une personne, de préférence un enfant plus âgé ou un adulte, est garante des questions et de la règle du jeu. À chaque bonne réponse, les joueurs abandonnent leurs cartes. Celui qui se retrouve le premier sans carte a gagné. On peut ajouter une cagnotte avec des récompenses et des pénalités.

Ce jeu imprimé comprend 60 cartes ; il fut produit vers 1790 par un éditeur inconnu.

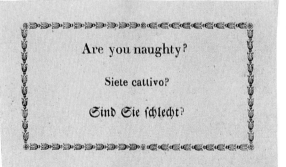

145

Voici un jeu de 32 cartes aux règles à peu près identiques, avec des questions et des réponses en quatre langues. Intitulé Le petit questionneur polyglotte, choix de questions enfantines, en anglais, en italien, en allemand et en français, le jeu fut publié par la librairie française et anglaise de Truchy (18, boulevard des Italiens, Paris) vers 1850. La version française est d'un côté des cartes, et les autres langues de l'autre côté. Une note à propos du titre "Le petit questionnaire polyglotte" stipulait que ce jeu proposait des "exercices propres à inciter les enfants à la conversation". Ce jeu et les Conversations grammaticales commençaient à refléter l'importance donnée aux préceptes de bonne conduite, fortement évoqués dans d'autres jeux de la même époque, tels que La vertu récompensée et le vice puni.

146

L'apprentissage du français par les cartes continua au long du XIXᵉ siècle et pendant le siècle suivant. L'usage de dessins était sans doute plus satisfaisant pour les joueurs et, quand il était combiné avec des méthodes de jeu déjà connues, le processus d'apprentissage d'une langue étrangère devenait sans aucun doute plus facile. Amusement for Beginners in French (*Divertissement pour débutants en français*), une gravure peinte à la main, fut publiée par John Betts vers 1855. Le jeu comporte 210 cartes, montrant des dessins avec des légendes, en partie coupés. Le haut porte le nom anglais et la partie supérieure du dessin, tandis que le nom français, l'écriture phonétique et la partie inférieure du dessin sont sur l'autre moitié de la carte. Le jeu peut être joué par une seule personne, de la même façon que les dominos.

146

147

147

French for Fun a New and Amusing Card Game (Le Français en s'amusant, *Nouveau jeu de cartes instructif*) était imprimé par chromolithographie. John Jaques & Sons, de Londres, publia ce jeu durant les années 1930 ; il comportait 32 cartes, chacune portant une illustration, une phrase et la liste des autres cartes nécessaires pour faire un ensemble. Ce jeu suit les règles établies par Jaques pour Les régions d'Angleterre.

JOHN BETTS, LONDRES

John Betts était l'un des principaux éditeurs de jeux pour enfants et de puzzles au XIXᵉ siècle. Il produisait, en fait, beaucoup d'autres supports éducatifs, tels que des globes ou des jeux de table.

Entre 1845 et 1874, son adresse fut au 115 The Strand. Après cette date, la plupart des jeux furent produits par A. N. Myers, sauf les puzzles, qui étaient édités par George Philip & Son. Malheu-

reusement, peu de travaux de Betts sont datés, et beaucoup ont été réédités plusieurs fois sans aucune précision. On les date ordinairement d'après le sujet et les méthodes d'impression.

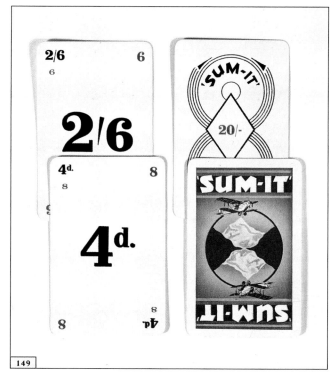

148

148

On peut aussi enseigner l'arithmétique et la musique de la même manière. Il est cependant difficile de ne pas se demander si les enfants trouvaient vraiment ces jeux amusants ou passionnants, comme le proclamaient les éditeurs.

Il est vrai que la plupart de ces jeux, mais pas tous, sont très illustrés, et les parents préféraient peut-être les acheter plutôt que des jeux non éducatifs. The Multiplication Table in Rhyme *(La table de multiplication en vers), jeu de lithographies peintes à la main, fut publié vers 1850 par John Betts. Chacune des 96 cartes comporte une moitié d'illustration et une moitié de légende.*

149

Sum-it (Faites la somme), imprimé en chromolithographie, est un jeu publié par Sum-It Card Games Ltd. pendant les années 1930. Le jeu est conçu pour apprendre à calculer en se servant du système monétaire britannique – complexe à l'époque puisqu'il se composait de livres, de shillings et de pence (il fut remplacé dans les années 1970 par le système décimal courant). Ce jeu se jouait suivant les règles des Sept familles.

150

McDowall's Musical Game (Le jeu musical de McDowalls) comprend 150 cartes imprimées, sur lesquelles apparaissent toutes les questions, tandis que les réponses sont données dans un livret. Il fut publié en 1836 par Smith, Elder and Company.

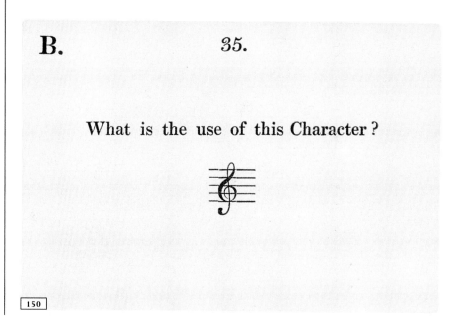

150

Extremes meet.

EXTREMES

Extremes meet.

MEET

151

151

L'apprentissage de la bonne conduite était considéré comme aussi important que celui de l'écriture, de la lecture ou de l'arithmétique. Les préceptes se trouvaient sur les cartes sous forme de proverbe, et, là encore, le but du jeu était de réunir un groupe de cartes. Ces jeux étaient souvent assez humoristiques, bien qu'il soit difficile de dire si c'était volontaire ou s'il s'agit simplement de l'interprétation que l'on en fait aujourd'hui. En général, le principe des récompenses et des gages était éloigné de ces jeux "moraux". La carte ci-dessus fait partie du jeu The New game of Illustrated Proverbs (Le nouveau jeu des proverbes illustrés), publié vers 1860. Celui-ci est constitué de 63 cartes gravées à l'eau- forte et colorées à la main.

152

Composé de gravures sur bois, The Royal Game of Mother Goose (Le jeu royal de ma mère l'oie) propose des illustrations avec des couplets rimés. Il fut publié vers 1860 par Richard Marsh.

153

Love Me, Love My Dog (Aime-moi, aime mon chien) fait partie d'un jeu de gravures peintes à la main, avec 64 cartes en tout qu'il faut regrouper pour former une phrase.

LES RÉGIONS D'ANGLETERRE

Le jeu *Les régions d'Angleterre* proposa un ensemble de règles simples, adaptées aux jeunes enfants, qui fut très populaire et largement suivi avant l'apparition des *Sept familles*. Ce jeu a aussi en commun avec *Les sept familles* et *La bataille* d'avoir été pour la première fois édité par John Jaques & Son, de Londres. Les trois paquets qui le composent, pouvaient être vendus ensemble ou séparément, chacun ayant 61 cartes. Treize d'entre elles portent les noms des régions et des principales villes, pendant que les autres cartes reproduisent des images de ces villes. Un paquet concerne les régions des Midlands, le second les régions du Nord et de l'Ouest, tandis que le troisième concerne les

régions du Sud et de l'Est. L'ensemble complet des trois paquets était présenté dans un coffret en bois.

Un joueur doit être président et garder les 13 cartes de régions, alors que les autres cartes sont distribuées. Chaque joueur a six jetons, dont un certain nombre est mis dans la cagnotte. Le président demande à chaque joueur à tour de rôle de lui donner une carte de la ville appartenant à la région qu'il nomme. S'il s'agit d'une carte d'une autre région, le joueur doit payer un jeton à la cagnotte ; si la carte est bonne, le joueur prend un jeton dans la cagnotte. Un joueur capable de relater un fait, ou de décrire le décor ou les produits de la région, reçoit un jeton supplémentaire. Quand les ensembles sont formés, le joueur qui a le plus de jetons a gagné.

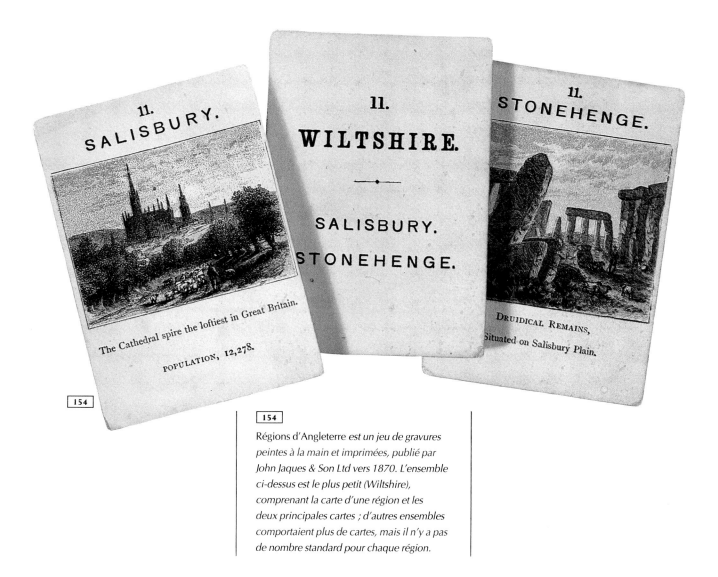

154

Régions d'Angleterre *est un jeu de gravures*
peintes à la main et imprimées, publié par
John Jaques & Son Ltd vers 1870. L'ensemble
ci-dessus est le plus petit (Wiltshire),
comprenant la carte d'une région et les
deux principales cartes ; d'autres ensembles
comportaient plus de cartes, mais il n'y a pas
de nombre standard pour chaque région.

LES SEPT FAMILLES

Les premiers jeux de cartes conçus davantage pour amuser que pour éduquer les enfants ont été édités par John Jaques & Son, à Londres, durant les années 1860. C'étaient *Les sept familles* et *La bataille*. On doit à cette société d'avoir introduit l'idée de cartes montrant des familles de quatre personnes, chacune d'elles ayant un nom approprié, en relation avec l'activité du père, tels que Bun the Baker (Petit pain, le boulanger) ou Soot the Sweep (Suie, le ramoneur). Depuis sa conception, *Les sept familles* est constamment resté un jeu populaire, et beaucoup d'autres éditeurs ont introduit leurs propres variations.

Les règles sont simples mais compétitives. Toutes les cartes sont distribuées, et le joueur à la gauche de celui qui a distribué commence, en demandant à l'un des autres joueurs un personnage qui lui manque pour compléter une famille. Le joueur doit s'efforcer de réunir toutes les cartes d'une même famille, et quand il a obtenu les quatre cartes, elles sont placées comme un pli sur la table. Si le joueur questionné n'a pas le personnage demandé, il répond "je ne l'ai pas", et c'est à son tour d'interroger. Le jeu continue jusqu'à ce que toutes les familles soient complètes, et le joueur qui en a le plus grand nombre a gagné. Les joueurs ne peuvent demander un personnage s'ils n'ont pas déjà un membre de la famille, et ils sont tenus de fournir la carte demandée lorsqu'ils l'ont.

Le jeu peut s'arrêter ici, ou entamer une seconde marche. Seuls les joueurs ayant des familles peuvent continuer, et c'est celui qui en a le plus qui commence. Il demande une famille à un autre joueur. Si le joueur interrogé n'a pas la famille, alors c'est à son tour de demander. Le jeu se termine quand un joueur a toutes les familles.

Un élément de jeu peut être ajouté si chaque joueur met un nombre déterminé de jetons dans une cagnotte. Le gagnant de la première partie du jeu prend la moitié de la cagnotte, et le vainqueur de la seconde partie ramasse le reste.

Un ajout intéressant aux règles du jeu consiste à y incorporer le paiement d'une pénalité spéciale. Au lieu de simplement perdre un tour, un joueur doit laisser un adversaire lui prendre une carte au hasard.

Bien que non conçues dans un but éducatif, les règles du jeu des *Sept familles* s'appliquent, comme celles des *Régions d'Angleterre*, à de nombreux autres jeux de cartes. Jaques n'avait qu'à utiliser les formats existants ou, plutôt, à les standardiser pour ses deux fameux jeux.

156

Mr Baker and Family *(M. Boulanger et sa famille) fait partie d'un jeu de 24 cartes en lithographie de Parvo Company, publié à Londres vers 1900 sous le titre* Merry Families *(Joyeuses familles). La société fabriquait beaucoup de jeux, et les illustrations de ce jeu sont plutôt surréalistes ; par exemple, chaque membre de la famille Baker est fait de différents produits de boulangerie.*

155

Monsieur Block le coiffeur *(lithographie peinte à la main), est un des personnages d'un jeu original de 44 cartes, dessiné par Sir John Tenniel, l'illustrateur des livres de Lewis Carroll,* Alice au pays des merveilles *et* De l'autre côté du miroir. *Le sous-titre en est :* "Un nouveau jeu divertissant pour les jeunes", *et les personnages sont décrits comme* "grotesques". *Monsieur Block est une caricature de coiffeur, avec son peigne et sa brosse, ses cheveux soigneusement ondulés et sa barbe frisée serrée.*
Après les premiers jeux des Sept familles de Jaques, de nombreux éditeurs copièrent son idée originale, changeant quelquefois le titre. Pendant les premières années du XXᵉ siècle,

Thomas De La Rue & Co. Ltd. publia de nombreuses versions, souvent basées sur les personnages de livres connus. The New and Diverting Game of Alice in Wonderland *(Le nouveau jeu divertissant d'Alice au pays des merveilles) contient des scènes dessinées comme des fac-similés par Gertrude Thomson, mais De La Rue utilisa aussi des dessins originaux de Florence et Bertha Upton pour* The Pictorial Game of Golliwog

(Le jeu illustré de Golliwog). (Golliwog est une poupée de chiffon).

156

BATAILLE

John Jaques introduisit le jeu de *Bataille* en 1866, utilisant des illustrations de "personnages grotesques", comme il l'avait fait pour les *Sept familles*. De la même façon, les cartes de *Bataille* sont arrangées en groupes, mais chaque carte d'un groupe porte le même dessin. Les règles sont assez simples pour que de jeunes enfants prennent plaisir à y jouer. Les cartes sont distribuées équitablement entre les joueurs, à l'envers, et le donneur commence par retourner sa carte du dessus pour montrer l'illustration. Le joueur suivant à sa gauche fait de même, et si cette carte est assortie avec la première, il entre en bataille avec le premier joueur, qui paie une pénalité. Si le troisième joueur a aussi une carte similaire, il entre en bataille avec le second joueur, qui doit alors payer une double pénalité. Le jeu continue jusqu'à ce que tous les joueurs, sauf un, aient payé leurs pénalités, et le joueur restant est le gagnant.

157

Snap *(Bataille, ancien jeu original, comprenant 64 cartes de personnages grotesques) a été imprimé par chromolithographie. Voici une réédition des années 1930 des cartes originales de Jaques.*

JEUX DE LETTRES

Tous les jeux de cartes dont le but est de promouvoir l'habileté orthographique sont sensiblement les mêmes : on utilise une sélection de lettres pour former des mots. Les règles de jeu sont généralement simples. On donne dix cartes à chaque joueur, et les autres sont placées en pile, à l'envers mais avec la carte du dessus retournée. Les joueurs la prennent à leur tour pour essayer de former un mot complet avec les cartes qu'ils ont en main. Le mot est placé du côté visible sur la table, et les joueurs rejettent une de leurs cartes, et en prennent une autre. On peut transformer les mots déjà formés (par exemple changer mer en mère) ou substituer des lettres (changer le "e" d'expert, pour former export). Au fur et à mesure que le jeu avance, on forme un mot croisé, si bien qu'après le quatrième tour, la table ressemble un peu à un plateau de *Scrabble*. Le but est de se débarrasser des cartes le plus tôt possible, tout en améliorant son orthographe.

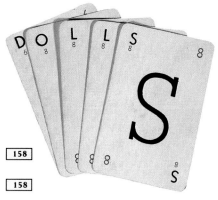

158

158

Pendant les années 1920 et 1930, ces jeux de cartes plutôt sophistiqués se développèrent pleinement. Le plus connu est le Lexicon *de John Waddington, avec ses cartes présentées dans une boîte en forme de livre.*

159

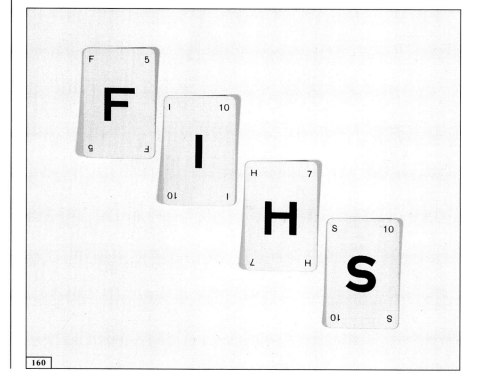

159

Autre jeu de lettres, avec un titre inhabituel : My Word, The Better Letter Game *(Mon mot, le meilleur jeu de lettres). Publié par W. & A. Storey & Co. Ltd., vers 1930.*

160

Kan-U-Go, The Crossword Card Game (Kan-U-Go, le jeu de cartes de mots croisés) fut déposé en 1934 par Porterprint Ltd., de Leeds.

160

161

161

Le jeu sans doute le plus attrayant des jeux de lettres fut publié en 1878. Il s'appelait The New Game of Animals (Le nouveau jeu des animaux). Le livret annonce qu'il "se joue comme Les sept familles, l'objectif des joueurs étant d'obtenir autant de séries complètes que possible, mais avec quelques nouvelles règles introduites pour un plus grand intérêt". Ce qui est innovant c'est que le dessin de chaque lettre montre à quel animal elle appartient, mais certaines des lettres sont imprécises intentionnellement ; si un joueur se trompe de carte et demande une carte appartenant à un ensemble pour lequel il n'a aucune carte, ou s'il demande une carte qu'il a déjà, il perd un tour. De plus, s'il se trouve que personne n'a la carte demandée par un joueur, on peut tirer une carte de la cagnotte, et continuer à jouer. Le chat ci-dessus, dessiné par J. Lacy Hulbert, fait partie de ce jeu.

JEUX DE CARTES FAITS MAISON

Tandis que la majorité des jeux de cartes était produite par des fabricants connus, un petit nombre était fait par des individus inventifs. La plupart d'entre eux étaient dessinés par les parents pour leurs enfants, mais il arrivait que des enfants réalisent leurs propres cartes. Deux jeux dessinés à la main, très attrayants, ont été faits en Autriche entre 1900 et 1925. L'un est un jeu de questions et réponses, l'autre un jeu de *Bataille*.

162

162

Voici un exemplaire du jeu de cartes Question and Answer Cards *(Questions et réponses)*, dessinées à la main et aquarellées. Il fut réalisé en Autriche entre 1900 et 1925.

163

163

Jeu de Bataille, également fait en Autriche dans le premier quart du XXᵉ siècle, avec des cartes dessinées à la main et aquarellées.

164

164

Deux jeux plutôt curieux, produits dans les années 1930 et basés sur l'univers policier, qui s'avèrent la version moderne des jeux de bonne conduite du XIXᵉ siècle. L'un prétend être conçu pour éloigner les enfants du crime, bien que son but soit d'apprendre aux joueurs comment échapper aux recherches. On voit ici certaines cartes du jeu Alibi qui comprenait 51 cartes, produit dans les années 1930.

165

*Le second jeu, Krimo, The New Game of
Logical Detection (Krimo, le nouveau jeu
de l'investigation logique) avait 60 cartes
et fut publié dans les années 1930.*

166

Popeye The Sailor Man *(Popeye le marin)
est né aux États-Unis en 1929 et, comme
d'autres personnages de dessins animés
tels que Mickey, on le retrouvait dans des
bandes dessinées, des films, et aussi dans
des jeux de cartes, comme ici dans* Pop-Eye
Playing Card Game *(Le jeu de cartes de Pop
Eye), publié aux États-Unis par Whitman
Publishing Company et déposé en 1934
par King Features Syndicate. Whitman
Publishing Company, de Racine, dans
le Wisconsin, est un éditeur sans doute
plus connu pour ses livres pour enfants.*

167

Poetical Pot Pie or Aunt Hilda Courtship
*(Poetical Pot Pie, ou la Cour de tante
Hilda) est un jeu éducatif publié par Milton
Bradley en 1868. Il y a approximativement
120 cartes, chacune imprimée avec
une citation d'un auteur connu. Le livret
d'instructions comporte une histoire avec
des blancs, chacun pouvant être rempli
avec la citation adéquate. Le jeu, bien
qu'éducatif, peut devenir très drôle si l'on
se trompe souvent de citations. Il y a eu
beaucoup de jeux d'Auteurs publiés aux
États-Unis par les principaux éditeurs, qui
ne représentaient certainement pas la façon
de voir des Américains ou leur style de vie.*

165

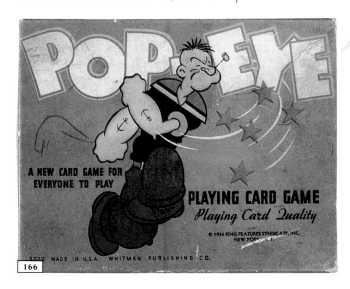

166

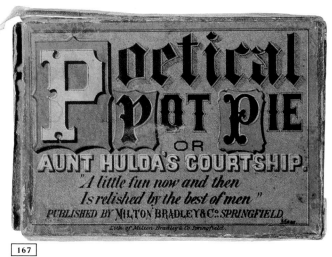

167

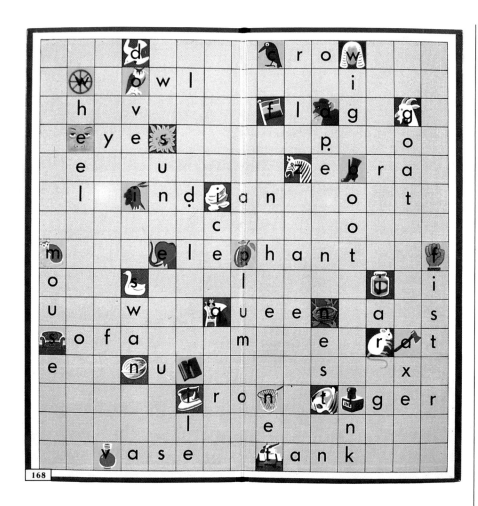

168

169

168

Le Scrabble pour juniors *fut publié en 1983 par J. W. Spear & Sons. Ce plateau a deux côtés, et le revers peut être utilisé pour un jeu normal de Scrabble. Le côté illustré a été conçu pour de jeunes enfants, et montre des mots et des illustrations, que l'on doit recouvrir. Les joueurs n'ont pas besoin de savoir comment former les mots à partir des lettres qu'ils choisissent, mais seulement de les placer sur les cases adéquates. Les joueurs gagnent des points quand ils complètent un mot.*

169

Les lettres de l'alphabet sont peintes ici sur des pions en os, réalisés vers 1800, qu'on rangeait dans une boîte ronde. Ces lettres peuvent être utilisées pour créer des mots, mais servent plus généralement aux jeunes enfants pour apprendre l'alphabet, et ceci au cours de générations successives.

170

170

Shake-spell *(Lettres en vrac) comporte des dés en bois avec une lettre de l'alphabet sur chacune des six faces, ainsi qu'un cornet à dés en carton. Le but du jeu est de créer un mot avec les lettres qui apparaissent à chaque lancer. Le gagnant de chaque tour peut être celui qui a fait le mot le plus long, mais aussi celui qui a fait un mot en utilisant les lettres les plus difficiles.*

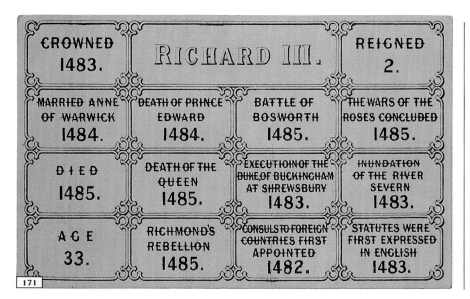

Lotto (Le Loto, autre nom du Bingo) a toujours été essentiellement un jeu de hasard. Pourtant, les éditeurs de jeux pour enfants ont décidé d'utiliser ce format comme un outil éducatif, et John Jaques & Sons tourna rapidement son attention vers ce genre de jeu. Bien sûr, cette société ne resta pas la seule, et de nombreux éditeurs publièrent des jeux de difficultés variées. Richard III est l'une des 35 grandes cartes montrant les souverains anglais, depuis Guillaume Ier jusqu'à Guillaume IV, dans le jeu Historical Lotto (Loto historique) publié par cet éditeur vers 1870. Les joueurs doivent remplir leurs cartons avec les bonnes cartes, plus petites, qui sont tirées d'un sac en tissu.

172

Voici un des douze cartons montrant des dessins de fleurs dans le jeu Floral Lotto, a New Round Game (Loto des fleurs, un nouveau jeu). Le jeu comprend aussi 120 cartes ovales, imprimées avec les noms populaires et scientifiques des fleurs, ainsi que leur signification emblématique. Ce jeu fut publié par John Jaques vers 1872.

173

174

173

Loto enfantin, jeu amusant *comportait six cartons comme celui-ci et 72 petites cartes. Il a été publié à Paris entre 1900 et 1910 ; chaque illustration était légendée en quatre langues.*

174

Le loto pouvait aussi servir de jeu de culture générale, avec des questions et des réponses, semblables à celles posées par le jeu moderne de Trivial Pursuit. Chad Valley basa son jeu Answerit sur le principe du Loto. Un certain nombre de grandes cartes simples doivent être remplies quand les questions sur les plus petites cartes ont obtenu une réponse correcte. Le jeu fut publié vers 1925, et l'illustration de couverture montre des adultes en tenue de soirée, au lieu d'enfants, jouant à ce jeu.

JEUX, CARTES ET PUBLICITÉ

L'utilisation de jeux comme outil promotionnel fit partie de la stratégie publicitaire des plus grandes sociétés vers 1900, et cette pratique est toujours actuelle pour promouvoir toutes sortes de produits : combien de fois n'avons-nous pas vu des jeux au dos d'une boîte de céréales ou de chocolat ?

175

Tandis que certains jeux, comme les jeux de course, apparaissent vraiment sur l'emballage lui-même, d'autres peuvent être inclus comme cadeaux à l'intérieur, ou encore être envoyés sur demande. La plupart des publicités de ce genre touchent la production alimentaire et visent une incitation à l'achat plutôt indépendante du produit à consommer lui-même. Kings and Queens of England *(Rois et reines d'Angleterre)* fut publié par la *Mazawattee Tea Company* en Angleterre vers 1910. Les cartes concernent les souverains britaniques, de Guillaume Ier à Edward VII.

176

En 1920, *Milton Bradley* sortit Game of the Lost Heir *(Jeu de l'héritier perdu)*, directement basé sur un véritable fait divers de garçon kidnappé. La *Canada Games Company* copia simplement l'idée, en lui donnant un air canadien. Copier, adapter, pirater des jeux, étaient des pratiques très courantes entre sociétés et pays.
De nombreuses méthodes de jeux peuvent être retrouvées dans des civilisations plus anciennes, la présentation seule changeant pour l'adapter au pays du fabricant. Cela se voit surtout avec les jeux de course, que l'on peut faire remonter à l'Égypte antique.

177

LES PREMIERS PUZZLES

Le puzzle est l'un des jeux les plus populaires depuis 200 ans, et tout le monde y joue, adultes comme enfants, seuls ou en groupe. Faire un puzzle requiert de la concentration, une certaine dextérité, beaucoup de calme et de la patience, à tel point que l'on considère qu'une telle activité convient parfaitement aux convalescents. Les puzzles que nous connaissons aujourd'hui n'apparurent pas avant l'introduction dans les années 1870 de la scie sauteuse, machine avec laquelle on peut couper des formes irrégulières. Aussi compliquées que ces formes puissent paraître, les puzzles modernes ont leur bon côté : les pièces s'imbriquent et forment un ensemble compact. Cela n'a pas toujours été le cas : dans le passé, on trouvait des puzzles et des méthodes de découpage qui mettaient à l'épreuve non seulement l'ingéniosité mais aussi la patience de nombre d'adultes.

On appelle "puzzle découpé" l'ancêtre du puzzle actuel, en raison de la méthode utilisée pour le créer. Les illustrations étaient simplement coupées à la main, et peu de pièces s'emboîtaient, voire aucune.

On pense qu'un Londonien du nom de John Spilsbury, né en 1739, fut le premier à fournir un découpage comme jeu pour enfant. En 1753, il était en apprentissage chez Thomas Jefferys, de St Martins Lane, à Londres, et en 1763 on le retrouve comme "graveur et découpeur de cartes en bois, afin de faciliter l'apprentissage de la géographie".

Spilsbury fit une carte des régions anglaises, la monta sur un mince plateau d'acajou et la coupa à la main autour des frontières de chaque région. La carte fut ensuite mise dans une boîte et vendue pour que les enfants la recomposent. Il produisit environ 30 cartes différentes sous forme de puzzles, en même temps qu'une grande variété d'autres marchandises, comprenant livres, publications, cartes, cartes marines et mouchoirs de soie imprimée.

John Spilsbury mourut en 1769, et bien qu'une partie de son affaire continuât, la production de ses cartes découpées s'arrêta et perdit de son intérêt. Quelques années plus tard, d'autres éditeurs commencèrent à produire des cartes découpées, ajoutant d'autres thèmes, tels que des sujets historiques, à leurs puzzles.

177

Bride and Groom *(Les jeunes mariés), publié durant les années 1920 (voir n° 189).*

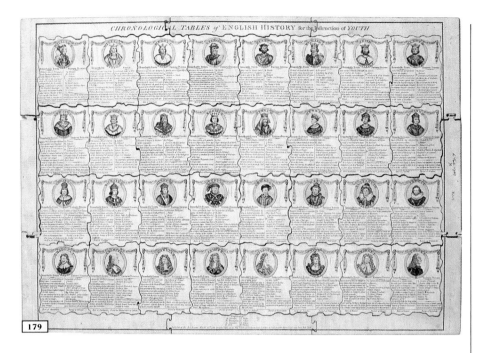

179

179

John Wallis, qui était déjà bien implanté comme éditeur de jeux, produisit aussi des puzzles, régulièrement ressortis et mis à jour si nécessaire. Un de ses premiers puzzles, intitulé Chronological Tables of English History for the Instruction of Youth (Tableaux chronologiques de l'histoire anglaise, pour l'instruction de la jeunesse), fut publié en 1788. Il montre, avec de courtes notes sur leurs règnes, les souverains anglais, de Guillaume Ier à George III. C'est une gravure peinte à la main, coupée en quarante pièces. En bas, on trouve cette inscription : "Publié le 25 mars 1788 par John Wallis à son atelier cartographique de Ludgate Street, à Londres, et vendu par John Binns, Leeds, et Louis Ball, Bath." Comme dans beaucoup de puzzles découpés, les bords extérieurs ont été coupés pour s'emboîter, bien qu'il soit nécessaire de placer le bord coupé sur la languette, quand il est à un angle. Le reste des pièces se met simplement bout à bout, chacune ayant été coupée avec des lignes ondulées. Comme dans les jeux modernes, de nombreuses pièces sont identiques.

180

Le 1er septembre 1820, William Darton publia The World Dissected Upon The Best Principles to Teach Youth Geography (Le monde découpé, suivant les meilleurs principes pour apprendre la géographie à la jeunesse). Ce puzzle était formé de deux cercles contenant les hémisphères Est et Ouest, l'Ancien et le Nouveau Mondes. À part quelques réajustements et changements, ce puzzle pourrait encore servir aujourd'hui. C'est une gravure peinte à la main, coupée en trente pièces.

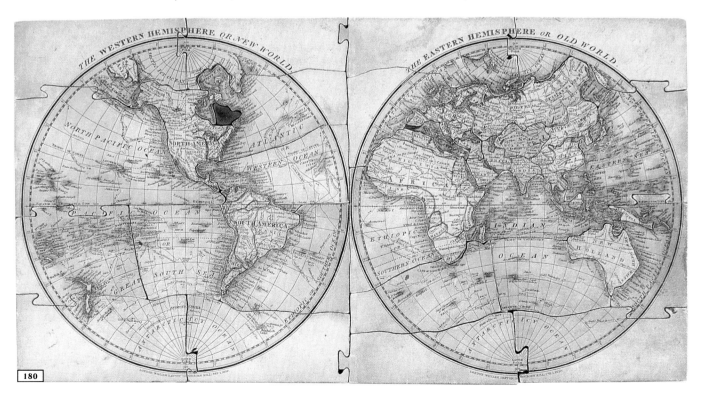

180

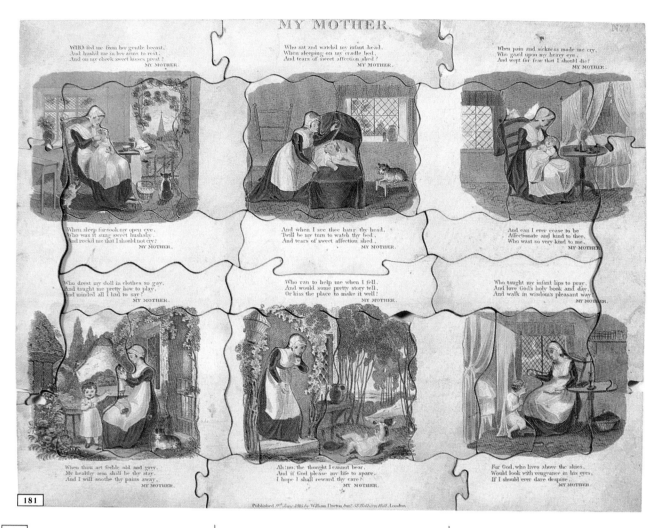

181

181

Comme d'autres types de jeux, on utilisait les premiers puzzles comme supports éducatifs. My Mother (Ma mère), également publié par William Darton, en 1815, comporte six illustrations, chacune accompagnée d'une légende. L'enfant est encouragé à lire au fur et à mesure de la construction, l'aidant ainsi aussi bien à l'apprentissage du vocabulaire qu'à être adroit. Le puzzle est une gravure peinte à la main, coupée en 33 pièces. Il porte cette inscription: "Expressément écrit pour cet intéressant petit ouvrage intitulé Original Poems for Infant's Minds (Poèmes originaux pour les enfants)".

WILLIAM DARTON, LONDRES

Fondée en 1787 par William Darton, au 55 Gracechurch Street, cette société eut un grand nombre de noms et d'associés différents. Pendant les cinq premières années, ce fut W. Darton & Co., puis Darton & Harvey quand Joseph Harvey devint associé en 1791. Vingt ans plus tard, elle devint Darton, Harvey & Darton, quand Samuel Darton arriva, puis revint au nom Harvey & Darton à la mort de William en 1819. Dépendant de l'associé le plus âgé, le nom oscilla entre Darton & Harvey et Harvey & Darton, le premier en 1834 avec Samuel Darton et Robert Har-vey, et le second en 1838 avec Robert Harvey et Thomas Darton. En 1847, la firme fut vendue à R. Y. Clarke.

Le fils de William Darton, également nommé William, ouvrit sa propre affaire en 1804 à Holborn Hill, d'abord au numéro 40 puis au 58. Cette adresse resta jusqu'à ce que la firme soit vendue en 1867 à W. Wells Gardner. Comme son père, William Junior eut de nombreux noms de société différents. Il commença avec W. Darton Junr, en usage jusqu'en 1830. Néanmoins, pendant cette période, on utilisa aussi le nom W. & T. Darton, quand Thomas Darton fut associé, entre 1806 et 1811, et, après 1819, on utilisa souvent le nom de William Darton. William Darton & Son fut utilisé de 1830 à 1836, quand John Maw Darton devint associé. Il resta dix ans avec Samuel Clark, pour devenir Darton & Clark, et, de 1846 à 1862, il travailla seul sous le nom de Darton & Co. John Maw Darton utilisa à nouveau ce nom avant que sa firme ne soit vendue, mais entre 1862 et 1866, Darton & Hodge fut fondée, avec une adresse au 175 The Strand, avec Robert Hodge pour associé.

182

Des événements intéressants étaient aussi illustrés, comme les nouveaux commerces et industries, et les styles changeaient en adoptant des formes particulières. Par exemple, les processions étaient montrées en rangées, généralement de trois ou quatre, pour donner une impression de longueur. The Lord Mayor's Show (La Parade du Lord-maire) était une gravure peinte à la main. Le spectacle qu'elle reproduit peut encore être admiré aujourd'hui à Londres par un froid jour de novembre, à ceci près que les barques de cérémonie ne font plus partie de la procession principale.

183

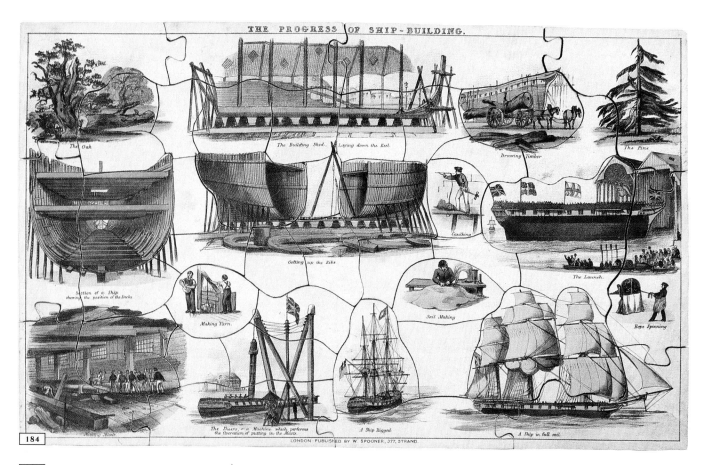

184

Ce puzzle du milieu du XIXe siècle, montre
l'importance que l'on attachait à l'industrie
nationale. C'est un puzzle de William Spooner,
intitulé The Progress of Ship Building (Progression
de la construction d'un bateau) ; lithographie
peinte à la main coupée en 42 pièces.

183

London, Birmingham, Liverpool and
Manchester Railway (Chemins de fer de
Londres, Birmingham, Liverpool et Manchester),
gravure peinte à la main, coupée en 69 pièces,
publiée par William Peacock vers 1860. Ce très
long train se situe sur les deux rangées centrales
et les constructions des villes sont sur les bords.
Le puzzle utilise une illustration d'Edward
Wallis des années 1840, mais elle ne prend
sa pleine signification qu'avec le revers de la
planche, qui montre une carte de l'Angleterre
et du Pays de Galles. De tels puzzles furent
appelés "à double découpage", comme
l'indique le titre entier de celui-ci : Double
découpage amélioré de l'Angleterre et Pays
de Galles de Peacock.

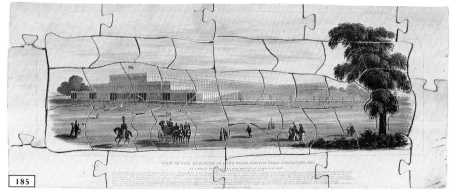

185

185

L'Exposition universelle qui eut lieu
à Londres en 1851 inspira beaucoup
de jeux et de puzzles. La construction
elle-même, faite de verre et d'acier, faisait
venir les visiteurs de loin. Elle renfermait
des stands internationaux qui feraient
l'orgueil de beaucoup d'expositions
modernes. View of the Building in Hyde
Park for the Great Exhibition (Vue de la
construction à Hyde Park pour la Grande
Exposition) est une aquarelle de 1851,
coupée en 40 pièces. Ce puzzle a été
publié par C. Berger.

186

186

Joy ride *est un puzzle de 119 pièces en bois,
sorti dans les années 1930 dans la série
Paramount Jig-Saw Puzzle. Il était produit
par la Salem Puzzle Company, située dans
le Massachusetts, qui était une filiale de
Parker Brothers. Parker Brothers sortit
plusieurs sortes de puzzles, et fut le
principal producteur américain de la
première moitié du xxe siècle. Une série
concernait les tableaux du passé, avec
des pièces compliquées et géométriques.
D'autres séries, moins chères, étaient
commercialisées sous les noms de Climax,
Jig-a-Jag et Jig Wood. Les puzzles
de la Paramount Jigsaw manquaient
de personnages, s'emboîtaient mal,
et avaient été découpés par des apprentis.*

187

187

*Beaucoup de puzzles du xxe siècle étaient
coupés en fonction de l'âge et des possibilités
des enfants, et l'on trouve une progression
depuis les grandes pièces faciles à placer,
avec des dessins simples et reconnaissables,
jusqu'aux petites pièces avec des images
complexes ou même abstraites. Deux de ces
puzzles, avec un entourage pour un contrôle
facile, ont pour thèmes des jeux d'enfants.
Malheureusement, ils ne donnent aucune
indication sur leurs éditeurs. Mothers and
Fathers (Mères et pères) était imprimé par
chromolithographie et collé sur une plaque de
bois coupée en 24 pièces. Le puzzle est enclavé
dans un plateau de bois et de carton. Ce puzzle
a été destiné à des enfants allant à l'école
primaire, des années 1950 aux années 1980.*

NO DOGS ALLOWED

They put a new roof on
Doggie-Town School
And while they were busy
the dogs had to go—
Jim the Alsatian
And Dick the Dalmatian
And fat little snuffily
Willie the Bull—
To the class that is kept
in Pussy-Cat Row
By funny old Dame Kitty
Whiskers, you know.

*Here is a little picture as a guide to the
jig-saw on the opposite page. You can
paint this picture.*

The doggies had hopes
of oceans of fun
In teasing the poor little
pussy-cats there
By horrible scowling
And terrible growling.
You wouldn't believe the
things that were done.
The poor pussies cried,
and wept in despair
The teasing was greater
than pussies could bear.

But Dame Kitty Whiskers
she sprang a surprise.
There wasn't a dog that
could frighten Dame K.
She out with her cane and
They shouted with pain
and,
Ere you could count two,
with tears in their eyes
They were out at the door,
and had bolted away.
They *were* model pupils
the following day.

188

188

No Dogs Allowed (*Interdit aux chiens*) était
aussi imprimé par chromolithographie, mais
collé cette fois sur un carton qui a été découpé
en 54 pièces qui s'emboîtent. Ce puzzle est un
des cinq que renferme un livre d'enfant, intitulé
The Jolly Jig-Saw Book (*Le livre des puzzles*).
Chaque puzzle a une histoire, écrite à la façon
d'un poème, destinée à être lue à haute voix
par un enfant ou par un adulte, et l'image qui
sert de guide, en haut, peut aussi être coloriée.
Cette publication semble avoir été conçue
pour éprouver diverses capacités ; elle fut
imprimée vers 1935.

189

*Plutôt frivole, et probablement conçu
pour des adultes ou des enfants plus âgés,
ce puzzle a été découpé sans les bords
conventionnels, ce qui le rend curieux
et plus vivant. La forme émerge à mesure
que le puzzle est complété, et aucune
des pièces ne s'emboîte. Il est donc assez
instable, et les pièces se séparent facilement.
Intitulé* Bride and Groom *(les Jeunes mariés)
et publié dans les années 1920 sous le nom
générique de* Figure-It-Out English Jigsaw
Puzzle, *il s'agit d'une illustration en
chromolithographie, découpée en
175 pièces. Le dessin donne l'impression
que le couple est en train de danser, mais
en fait il est en train de partir sous
une pluie de confetti.*

189

Auctioneer, The Antique Dealer's Game
(Commissaire-Priseur, le jeu des antiquaires),
publié par Uniray (Royaume Uni) en 1959.

118

JEUX AMÉRICAINS

Au début, les jeux pour enfants et autres jeux de plateau furent importés aux États-Unis depuis les pays européens. Bientôt, cependant, les Américains produisirent leurs propres jeux, et des fabricants comme George S. Parker se mirent à dominer la scène internationale. Quand la produc-tion américaine commença, elle se situa d'abord essentielle-ment dans les villes de la Nouvelle-Angleterre, autour de Boston et à New York. Un des fabricants les plus connus était W. & S. B. Ives, de Salem, dans le Massachusetts, qui édita *La maison du bonheur*.

190

The Mansion of Happiness, an Instructive, Moral and Entertaining Amusement (*La maison du bonheur, un amusement instructif, moral et divertissant*) se targue d'être le premier jeu de plateau publié aux États-Unis. Édité par *W. & S . B . Ives en 1843*, il présente de grandes similitudes avec le jeu du même nom, de Laurie et Whittle, sorti en 1800 (voir n° 67). L'idée d'une édition américaine semble venir de Miss Anne W. Abbott, fille d'un ministre de Nouvelle-Angleterre, mais il est plus vraisemblable, si elle a vraiment quelque chose à voir avec ce jeu, qu'elle se soit contentée de la présenter aux éditeurs comme un jeu "convenable" pour les enfants. Les versions anglaise et américaine sont différentes (par exemple la version de Laurie et Whittle a un dessin plus anguleux) mais les cases illustrées et même le dessin central sont presque identiques. Le jeu fut réédité plusieurs fois, ainsi que par d'autres éditeurs, notamment Parker Brothers en 1894.

190

W. & S. B. IVES, SALEM, MASSACHUSETTS

W. & S.B. Ives, qui débuta en 1830, fut absor-bée par George S. Parker en 1887. Cette société est considérée comme le premier éditeur améri-cain de jeux de plateau et de jeux de cartes, comprenant entre autres Marchands yankee et La case de l'oncle Tom. *Le nom de Ives se retrouve dans diverses villes de la Nouvelle-Angleterre. La société sans doute la plus* connue sous ce nom est celle de E. R. Ives, de Plymouth, qui débuta comme Ives, Blakeslee & Co., fabricants et possesseurs de brevets de nombreux jouets et poupées mécaniques.

PAINTER.

CARPENTER.

BRICKLAYER.

FARRIER.

TAXGATHERER.

191

BUTCHER.

SHOEMAKER.

TAILOR.

191

W. & S. B. Ives, société connue plus tard sous le nom de S. B. Ives, fut fondée en 1830 à Salem, une ville proche de Boston, où le principal éditeur et fabricant de jeux, Parker Brothers, est encore établi de nos jours. La société Ives produisait des jeux de cartes et de plateau, illustrés dans divers styles, et souvent avec des titres très originaux. En 1844, elle produisait un jeu de type Renard et oies intitulé The Game of Pope and Pagan or Siege of Stronghold of Satan by the Christian Army (Le jeu du pape et du païen

ou Le siège du fort de Satan par l'armée chrétienne), suivi deux ans plus tard par Mahomet and Saladin or The Battle of Palestine (Mahomet et Saladin ou La bataille pour la Palestine), autre jeu de même type. La société produisait aussi des jeux de cartes : Docteur Busby apparut en 1843, suivi de Menagerie, Trades, Yankee Trader, Uncle Tom's Cabin, Heroes (Ménagerie, Métiers, Marchands yankee, La case de l'oncle Tom, Héros) et Master Redbury and his Pupils (Monsieur Redbury et ses élèves). Les cartes ci-dessus

sont extraites du jeu des Métiers, jeu comprenant 48 cartes lithographiées peintes à la main. Publié par W. & S. B. Ives, le jeu comprenait 8 cartes illustrées (représentées ici) et 40 cartes montrant seulement le symbole du métier. Le but du jeu étant de réunir toutes les cartes d'un métier pour faire un pli. Il applique les règles des Sept familles et il se peut que, alors que La maison du bonheur est une version américaine d'un jeu anglais, Les sept familles soient à l'inverse une adaptation anglaise d'un jeu américain. Le jeu des Métiers fut réédité par Parker Brothers en 1889.

MILTON BRADLEY, SPRINGFIELD, MASSACHUSETTS

Fondée vers 1860, la société existe encore comme un important fabricant de jeux. En tant qu'éditeur de jeux, la firme sortit en 1867 le Zoetrope, un jouet basé sur l'image animée : il s'agit d'une sorte de

tambour avec des fentes sur les côtés, monté sur un support. Une bande d'images, chacune légèrement modifiée par rapport à la précédente, se place à l'intérieur du tambour. En faisant tourner le tambour et en

regardant à travers les fentes, on peut voir les images défiler, donnant l'impression du mouvement. En 1920, Milton Bradley racheta McLoughlin Brothers, un autre grand éditeur de jeux.

192

The Popular Game of Innocence Abroad *(Le jeu populaire du voyage des Innocents),* qui est une chromolithographie, combine deux jeux difficiles. La première partie comprend une expédition pour faire des courses, représentée (dans le coin en haut à gauche) par une grille de 48 cases, dont certaines portent les instructions pour les déplacements et les pénalités. Après être passé par cette grille, le joueur commence la seconde partie du jeu. Il part pour la ville au moyen d'une route bien tracée, à travers une variété de paysages et de détours impliquant plusieurs façons de voyager. Le premier joueur qui atteint la ville n'est pas forcément le gagnant ; celui-ci est en fait déterminé par le coût global du voyage. Bien que ce soit un jeu agréable, les joueurs sont constamment avertis des dangers de gâcher à la fois du temps et de l'argent.

Cette version du Jeu populaire du voyage des innocents *fut publiée par Parker Brothers vers 1918, année où la société présenta son projet à l'Essex Institute of Salem,dans le Massachusetts. Les droits avaient été stipulés en 1888 "selon l'accord de l'Act of Congress par Geo S. Parker & Co. à l'Office of the Librarian of Congress, à Washington". Cette mention marque un changement, car la plupart des jeux passaient auparavant devant les bureaux de la District Court du Massachusetts. Le jeu fut produit de 1888 à 1931, et subit peu de modifications pendant cette période.*

193

Dans une autre ville du Massachusetts, Springfield, Milton Bradley, un entreprenant jeune homme, acquit une presse à lithographier et commença rapidement à sortir des jeux qui devinrent le fondement d'une autre grande société de jouets américaine. Son premier jeu, The Checkered Game of Life *(Le jeu varié de la vie) sort en 1860, et s'avère très semblable aux premières versions de Serpents et échelles et de Kismet, bien qu'il y ait ici des mains pour figurer les directions de déplacement. Le jeu varié de la vie était imprimé par chromolithographie, et fut déposé par Milton Bradley en 1863. La couverture porte la mention : "Publié par D. B. Brooks & Bros, Salem." Milton Bradley déposa le 30 mars 1866 une seconde version du jeu, qui fut publiée bien des fois.*

194

194

The Game of Going to Sunday School
(*Le jeu de l'école du dimanche*) *est un jeu
moral qui utilise un toton plutôt qu'un
lanceur ou un dé. Publié par McLoughlin
Brothers en 1885, c'est une lithographie
montée sur un carton plié. Il montre les
pièges dans lesquels peuvent tomber les
enfants, surtout les garçons, et les châtiments
qu'ils encourent.*

195

*Croisement entre le jeu de plateau et le jeu
de table, voici un jeu publié en 1908 par
McLoughlin Brothers,* Game of Four and
Twenty Blackbirds (*Le jeu des quatre et vingt
merles). Les oiseaux sont placés sur un disque ;
un lanceur détermine la valeur de l'oiseau que
le joueur va essayer d'attraper avec une canne
à pêche. C'est le joueur qui a la plus grande
valeur de merles qui gagne, et non celui qui
en a le plus grand nombre.*

195

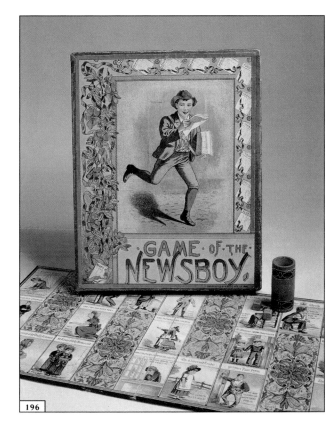

196

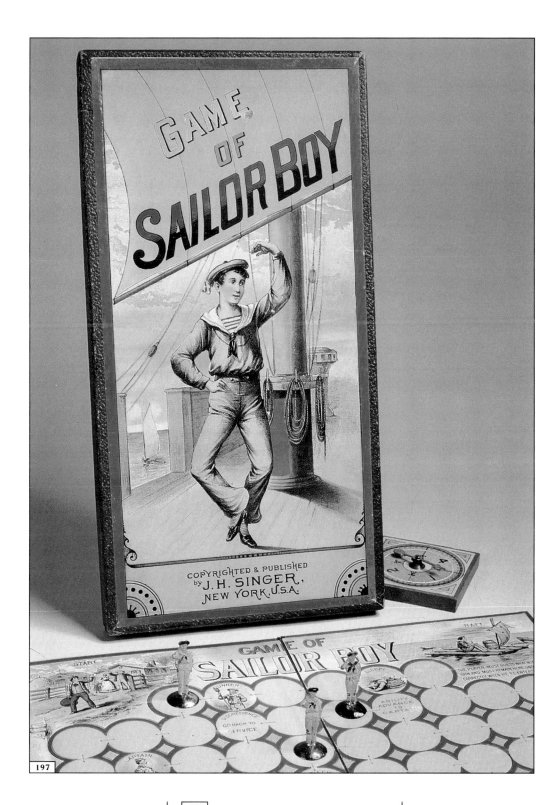

197

196

The Game of the Newsboy (Le jeu du jeune crieur de journaux) est une combinaison de jeu de plateau et de jeu de cartes. Il a été publié par R. Bliss Co. en 1890. Le plateau est une lithographie avec les noms des plus grands journaux américains de l'époque.

197

En 1889 et 1890, deux fabricants de jeu assez peu connus sortirent chacun un jeu faisant référence à de jeunes garçons. The Game of Sailor Boy (Le jeu du jeune marin) fut publié par J. H. Singer, de New York, en 1889.

Il s'agit d'un jeu de course, avec des récompenses et des pénalités. Les déplacements sont déterminés par un lanceur, mais plutôt que de suivre une séquence numérique, il faut suivre les flèches d'un cercle à l'autre, parfois en avant, et d'autres fois en arrière.

JEUX D'ARGENT

Ce n'est peut-être qu'aux États-Unis que pouvaient se développer des jeux ayant trait à l'argent. Dans beaucoup de jeux édités aux États-Unis durant le XIXᵉ siècle, on peut détecter

la part importante donnée à l'idée de "réussite", et ce thème ne fit que se développer et croître pendant les premières années du XXᵉ siècle. Le plus connu de ces jeux à avoir survécu est le *Monopoly*, bien qu'il ne fut à la base qu'un exemple parmi tant d'autres.

198

198

Les échanges de la Bourse forment la base de plusieurs jeux, publiés par diverses sociétés. McLoughlin Brothers breveta en 1883 Bulls and Bears The Great Wall Street Game (Les taureaux et les ours, le grand jeu de Wall Street : en anglais, les taureaux et les ours sont aussi les haussiers et les baissiers, à la Bourse). Il s'agit d'une chromolithographie, montée sur un plateau plié en trois, avec un lanceur déterminant les déplacements.

199

En 1904, Parker Brothers sortit un jeu de cartes intitulé Pit *(Le marché). Le but pour les joueurs est de réunir un jeu complet de neuf cartes d'un produit, afin d'accaparer le marché. Plus tard, l'idée du marché, avec les prix à la hausse et à la baisse, se précisa dans le jeu, affectant le comptage des points en faveur ou non des joueurs.*

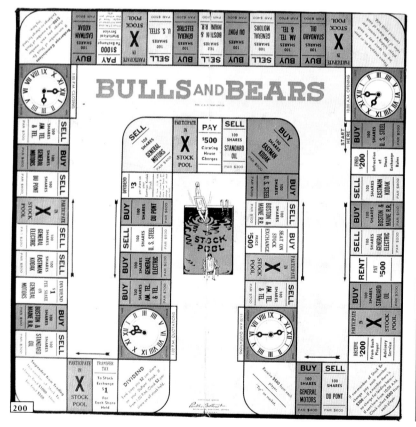

200

Parker Brothers ressortit en 1936 le jeu de plateau Bulls and Bears *(Les taureaux et les ours) ; l'illustration de couverture porte un dessin et la signature de Charles B. Darrow, dont on pensa longtemps qu'il avait été l'inventeur du* Monopoly*. Ce jeu évoque une journée de transactions à la Bourse, de son ouverture à 10 heures jusqu'à sa fermeture à 15 heures.*

201

201

Le Monopoly s'est révélé un grand succès, et il connaît encore aujourd'hui de nombreuses éditions, adaptées à différents pays. Parker Brothers acheta les droits du jeu à Charles B. Darrow, qui en revendiquait la paternité. Toutefois, des jeux semblables ont été joués par beaucoup de gens, utilisant souvent des plateaux faits à la maison. Le premier jeu à se servir de l'idée de locations de terrains, de taxes et de monopoles, fut The Landlord's Game (Le jeu du propriétaire) conçu par Elizabeth Magie Phillips et publié en 1904. À la fin des années 1920, des jeux faits à la main, peints sur toile cirée, furent produits par des Quakers à Atlantic City. C'est donc l'un de ces jeux que Charles Darrow présenta à Parker Brothers, qui en acheta les droits et commença la production en 1935. Darrow a néanmoins toujours omis de révéler les véritables origines du jeu.

202

202

Publié à la même époque que le Monopoly, cet autre jeu combinait des idées éducatives avec celles de réussite par l'argent. Déposé en 1936 par la Transgram Company, de New York, et nommé Big Business The Newest National Money Game (Grand business, le plus moderne des jeux d'argent nationaux), il devait aider les joueurs à se familiariser avec les divers États formant les États-Unis, ainsi qu'avec leurs principaux atouts et points faibles.

INDEX

BIBLIOGRAPHIE

ARNOLD, ARNOLD
The World of Children's Games
MacMillan London Ltd, Londres, 1975.

BATTIN BRIGITTE
Scrabble, succès garanti
Prat, 2000.

BELL, R C
Winners
Paladin Grafton Books, Londres, 1989.

Board and Table Games from many Civilizations
O U P, Londres, 1960.

Discovering Old Board Games
Shire Publications, Aylesbury, 1976.

Games to Play
Michael Joseph Ltd, Londres, 1988.

The Boardgame Book
The Knapp Press, Los Angeles, 1979.

BETT, HENRY
The Games of Children: Their Origins & History
Methuen & Co. Ltd, Londres, 1929.

BOUTIN MICHEL
Le livre des jeux de pions
Bornemann 1999

BRUNEL PHILIPPE
Jeux de cartes, de dés et de pions : règles, variantes, astuces
Prat, 1999.

CASSELL & CO
Cassell's Book of Indoor Amusements, Card Games and Fireside fun, 1881.
Cassell & Co, Londres, 1973.

COOPER, ROSALEEN
Games from an Edwardian Childhood
David & Charles, Londres, 1982.

DAIKEN LESLEY
Children's Games throughout the Yearn
T Batsford Ltd, Londres, 1949.

DIAGRAM GROUP, THE
Waddingtons Illustrated Encyclopaedia of Games
Pan Rooks Ltd, Londres, 1984.
The Way to play
Paddington Press, Londres, 1975.

GIRARD, A R & QUETEL, C
L'Histoire de France racontée par Le Jeu de l'Oie
Ballard/Massin, France, 1982.

GOMME, ALICE B
The Traditional Games of England, Scotland and Ireland
Thames & Hudson, Londres, 1994.

GOULD, D W
The Top : Universal Toy, Enduring Pastime
Bailey Bros. & Swinfen Ltd, Folkestone, 1975.

GRUNFELD, FREDERIC V
Games of the World
Holt Rinehart & Winston, New York, 1975.

HANNAS, LINDA
The English Jigsaw Puzzle : 1760-1890
Wayland Publishers, Londres, 1972.

The Jigsaw Book
Hutchinson, Londres, 1981.

HOLE, CHRISTINA
English Sports and Pastimes
Batsford Ltd, Londres, 1949.

ICKIS, MARGUERITE
The Book of Games and Entertainment the World Over
Dodd & Mead, New York, 1969.

Jeux de société
Könemann, 1998.

JEWELL, BRIAN
Sports and Games : History and Origins
Midas Books, Tunbridge Wells, 1977.

JOHARI, HARISH
Leela, Game of Knowledge
Routledge & Kegan Paul Ltd, Londres, 1980.

JOYNSON, D C
A Guide for Games
Kaye & Ward, Londres, 1969.

KEMPSON, EWART
Your Book of Card Games
Faber & Faber Ltd, Londres, 1966.

Le livre de tous les jeux
Solar, 2000

LOVE, BRIAN
Great Board Games
Bookclub Associates, Londres, 1979.

MANN, SYLVIA
Collecting Playing Cards
Bell Publishing Co, New York, 1966.

MUSÉE SUISSE DU JEU (LA TOUR-DE-PEILZ)
Jeux anciens de tous les pays et de tous les temps: guide de l'exposition permanente
Musée suisse du jeu, 1988

NEWELL, WILLIAM W
Games and Songs of American Children
Dover Publications, New York, 1963.

OPIE, IONA AND PETER
Children's Games in Street and Playground
O U P, Oxford, 1979.

PENNYCOOK, ANDREW
The Indoor Games Book
Faber & Faber Ltd, Londres, 1973.

Petit Larousse des jeux
Larousse, 1999

PICK, J B
The Phoenix Dictionary of Games
Phoenix House, Londres, 1965 (3rd revised edition).

PLUNTRY, PETER
Alla Tiders Spiel
Askild & Kärnekull, Stockholm, 1983.

PROVENZO, ASTERIL & EUGENE, F
Play it again : Historic Board Games you can make and play
Prentice Hall Inc., New Jersey, 1981.

RUTLEY, CECILY M
Games for Children
Thomas Nelson & Sons Ltd, Londres.

VINEY, NIGEL & GRANT, NEIL
An Illustrated History of Ball Games
Bookclub Associates, Londres, 1978.

WHITEHOUSE, F R B
Table Games of Georgian and Victorian Days
Priory Press Ltd, 1971.

WHITTON, BLAIR
Paper Toys of the World
Hobby House Press Inc., Cumberland, 1986.